KB002645

POTENTIAL
포텐

POTENTIAL 포텐 4

김민수 장편소설

초판 1쇄 찍은 날 | 2017년 2월 10일
초판 1쇄 펴낸 날 | 2017년 2월 17일

지은이 | 김민수
펴낸이 | 예경원

기획 | 위시북스
편집책임 | 박우진
편집 | 이즈플러스

펴낸곳 | 예원북스
등록번호 | 제396-2012-000132호
등록일자 | 2012. 7. 25
KFN | 제1-069호

주소 | 경기도 고양시 일산동구 호수로 646-24 위너스21 II 빌딩 206A호 (우)10401
전화 | 031-819-9431 팩스 | 031-817-9432
E-mail | yewonbooks@naver.com

ISBN 979-11-6089-081-5 04810
       979-11-5845-360-2 (set)

POTENTIAL
포텐
4
김민수 장편소설
WISHBOOKS MODERN FANTASY STORY
Wish Books

CONTENTS

21. 너, 내 동료가 돼라   7

22. 손맛   59

23. 일상, 애장품, 그리고……   139

24. 뷰티풀 마인드   191

25. 우리는 한다 인터뷰를   261

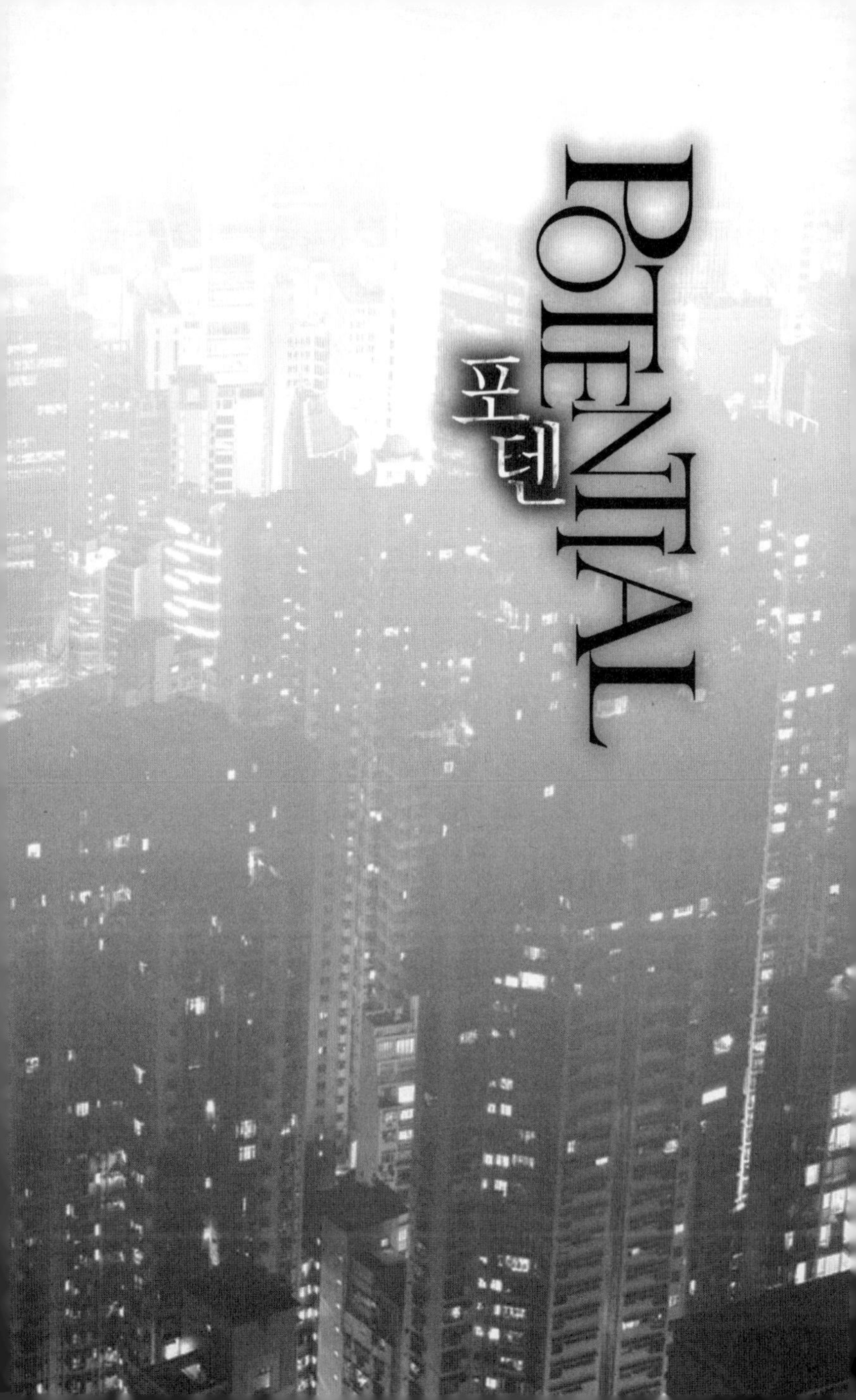
POTENTIAL
포텐

21.
너, 내 동료가 돼라

　임소희의 출근길은 KG엔터의 주식 동향을 살피는 것과 함께 시작된다.

　타블렛 화면 속에 떠있는 현재의 주가는 완만한 그래프를 그리며 상승 중이었다. 기업 가치는 착실히 오르고 있고, 과감히 영입한 신인 모두 발 빠르게 인지도를 쌓고 있는 터라 저 그래프가 꺾일 일은 없을 것이다.

　-2분기 영업 이익률 13.9%, 3분기······ 11.2% 예상.

　만년필을 들고 메모지에 간단한 손익계산서를 작성하던 임소희는 이번 여름시즌의 수익률이 기대에 살짝 못 미친다는 것을 깨달았다.

　해외 진출이다 뭐다 연말 실적을 위한 투자가 과감했던 탓이 컸다.

"흠……."

임소희는 만년필 끝으로 이마를 톡톡 때리며 고민을 시작했다. 8월 중순에 있을 2분기 실적과 3분기 전망 발표를 앞두고 주주들 앞에서 히든카드로 써먹을 만한 것이 필요했다. 변동이 심한 엔터주의 특성상 약간만 감소해도 불안해하는 이들이 많으니까.

"김 비서."

"네, 사장님."

조수석에 앉아 있던 비서 김화란이 고개를 돌렸다.

"도윤이 좀 연결해 줘."

김 비서가 휴대폰을 들고 번호를 눌렀다. 통화음이 가고 연결되자마자 임소희에게 휴대폰을 건넸다.

─사장님, 아침부터 무슨 일이세요?

임소희는 타블렛 화면을 넘겨 소속 연예인들의 스케줄을 살피며 물었다.

"지금 픽업 가는 중?"

─네, 민호 씨 케이블 방송이 오전에 있어서요.

"어제 검색어 1위 했다는 보고는 들었어."

─대박 났죠. 우리 민호 씨는 라디오만 나가면 홈런을 때립니다."

"보니까 검색어 순위에 이상건과 윤이설도 같이 올랐더라?"

-세 분이 다 친하니까요. 민호 씨가 프로듀싱한 윤이설 씨 노래 지금 1위인 거 아시죠? 손만 댔다 하면 화제죠, 화제."

공 매니저의 밝은 웃음이 수화기 너머에서 울렸다. 임소희는 피식 웃으며 타블렛에서 파일 하나를 열었다. HY뮤직으로부터 민호에게 프로듀싱을 의뢰하는 계약서 사본이었다.

작곡가에 준하는 40%의 이익 보장.

격주로 발매한 윤이설의 '다시 한 번'과 '반짝이는 별'이 모두 히트를 하자 HY의 사장이 파격적인 제안을 해왔다.

"도윤아. 강민호 씨 음악 할 생각 없대?"

-진지하게요?

"진지하게."

-HY의 프로듀싱 제안은 수락했는데 윤이설 씨 아니면 안 된다고 딱 자르더라구요. 본인이 음악으로 뭔가를 이루겠다는 생각은 없는 것 같아요.

임소희는 생각에 잠겼다.

올해 영입한 신인 중에, 아니, KG의 사장직에 오른 이후 그녀가 영입한 신인 중에 가장 성장 가능성이 높은 사람. 까다로운 미란다가 콕 집어 재계약을 요구했을 만큼 패션 센

스까지 갖췄다.

만나는 이들 모두를 만족시킬 수 있다는 건 연예인이 갖춰야 할 매력 중에서도 최상급이었다.

"해볼 만한 프로젝트는 많은데 가리는 게 많단 말이지."

―네?

"아니야. 일단 오늘 스케줄 잘 마치고. 끝나면 나 좀 보자."

―저녁에 사장실로 찾아뵙겠습니다.

임소희는 동영상 사이트에서 민호와 윤이설의 듀엣 영상을 찾아보았다. 그리고 2달 전에 핫한 인기를 끌었던 이상건과의 합주도 다시금 감상했다. 전부 어제의 검색어 덕분에 가파른 조회수 상승을 보이고 있었다.

'아까워. 이걸 썩히는 건 재능 낭비 수준이야.'

음악을 즐기고 있는 화면 속 민호에게 시선이 머문 임소희는 한 가지를 깨달았다.

함께 있는 이와 자연스레 소통하고 있다는 것. 음악성은 프로와 비견해 손색이 없음에도 방송 중임을 인식하는 인위적인 느낌은 전혀 없었다.

'인디계의 실력파 이상건과 천재 싱어송 라이터 윤이설. 둘 다 강민호와 궁합이 좋아.'

임소희의 머릿속에서 계산이 빠르게 오고갔다.

민호를 움직이는 방법은 '돈과 명예를 얻을 수 있다'와 같은 물질적인 부분이 아니다. 그렇다면 방법은 하나. 그가 더 활발하게 즐길 수 있는 환경을 만들어 주고 시너지를 기대하는 것.

'이건 시도해 볼만 해.'

임소희는 HY뮤직의 주식을 살펴 시장가치를 알아 본 뒤, 김 비서에게 말했다.

"이사회의 소집해 줘."

"알겠습니다."

"안건은 음반 부서 개편. 새 레이블 하나 추진할 거라는 말도 전해 주고."

설령 3분기 영업이익이 감소하는 한이 있어도 해볼 만한 도전이라는 생각이 들었다.

두 사람 아니면 음악을 할 생각 없다고 했으니, 두 사람을 붙여주면 그만이다. 임소희는 강민호가 어떻게 반응할지 벌써부터 궁금해졌다.

후드득.

민호는 빗방울이 떨어졌다 튕겨나가는 차창 밖으로 시선을 던졌다. 엔게임넷의 방송 스케줄과 온라인 게임 홍보대사

행사에 참여하고 돌아가는 길, 하늘에서 막 소나기가 떨어져
내리고 있었다.

공 매니저가 와이퍼를 켜며 말했다.

"야외 스케줄 끝나고 비가 와서 다행입니다."

갑작스런 비에 거리의 사람 모두 황급히 피신 중이었다.
김 코디가 짐칸에서 우산 하나를 찾아 민호에게 내밀었다.

"형, 여기요."

"괜찮아. 코앞에서 내릴 건데 그냥 뛰어 가면 되지."

고개를 저으며 밖을 보던 민호는 숙소로 이어지는 골목길
을 바라보다 눈이 커졌다. 길 한복판에 익숙한 체구의 여성
이 기타케이스를 짊어진 채 뒤뚱거리며 달려가는 중이었다.

민호는 급히 말했다.

"공 매니저님. 여기서 세워주세요."

"숙소까지 안 가시고요?"

"괜찮아요. 그럼, 내일……."

민호는 김 코디가 들고 있는 우산에 시선이 머물렀다.

"그거 다시 주라."

끼이익.

밴이 멈춰 서고 민호는 우수수 쏟아지는 비 사이로 뛰어
내렸다.

"다들 내일 봐요!"

공 매니저가 손을 흔들며 밴을 몰아 떠나갔다.

첨벙거리며 빗속을 달려가던 윤이설은 갑자기 빗방울이 느껴지지 않아 푹 숙였던 고개를 들었다. 그리고 우산을 들이댄 민호를 발견했다.

"오빠……."

민호는 혀를 찼다.

"바보냐? 비 오면 어디 들어가 있다가 전화를 하지."

윤이설이 쫄딱 젖은 얼굴로 웃어 보였다.

"경황이 없었어요."

"편곡자 문제는 나중에 혼나고 일단 비부터 피하자."

"네……."

민호는 숙소 방향을 가리키며 걷기 시작했다.

"그 기타는 비 맞아도 괜찮아?"

"이거 방수 케이스거든요. 문제없어요."

따라오던 윤이설이 등 뒤의 기타를 툭 쳤다. 민호는 그녀 쪽으로 시선을 돌렸다가 반대쪽 어깨에 비를 고스란히 맞고 있는 것을 보고 헛기침을 했다.

"이 오빠가 좀 못 미덥긴 해도 바짝 붙어. 비 맞잖아."

"붙으면 오빠 옷도 젖잖아요."

"그게 무슨 상관이야."

"전 어차피 젖었는걸요."

"에잇."

민호는 아예 윤이설을 끌어당겨 그녀의 왼손에 우산을 들려주었다.

"같이 들고 가."

꼭 붙어 있게 된 윤이설은 슬며시 미소를 지었다가 민호와 눈이 마주치자 오늘 혼나러 왔음을 상기하고 얼른 표정을 관리했다.

군말 없이 걷던 윤이설은 눈치를 보다 조용히 말을 꺼냈다.

"저 라디오 들었어요. 장동묵 아저씨도 웃겼는데 오빠도 진짜 재밌더라고요."

민호는 멈칫했다.

"듣다가 동영상 검색하거나 그러지 않았지?"

"그럼요~"

"대답이 준비한 것처럼 빨라."

"아니거든요."

"그럼 내가 힙합댄스 춘 거 못 봤다 이거야?"

"어? 그거 막춤 아니었…… 아아니! 저 못 봤어요!"

민호의 유도신문에 걸린 윤이설이 배시시 웃었다.

숙소의 현관에 도착한 민호가 문을 열자 뒤따라온 윤이설이 빼꼼 고개를 내밀었다.

"여기가 오빠 사는 데란 말이죠?"

민호는 복도의 불을 켜고 거실을 가리켰다.

"들어와. 남자만 사는 데지만 관리해주시는 아주머니 있어서 깨끗해."

"다른 분들은 안 계세요?"

"오늘 FPS팀 경기가 있어 응원 갔다고 하던데 아직 안 왔나 봐."

윤이설은 기타를 내려놓고 호기심 어린 눈길로 거실을 둘러보았다. 컴퓨터가 십여 대가 'ㄷ' 자로 늘어서 있는 공간은 사무실 같기도, PC방 같기도 했다.

민호는 방으로 들어가 수건을 들고 나와 그녀의 머리에 씌워 주었다.

"자."

"고마워요."

벽에 걸린 액자 중에 우승컵을 들고 있는 민호를 발견한 윤이설이 그것을 손짓했다.

"되게 어려 보여요. 지금하고 분위기가 완전 다른 느낌."

"스무 살, 윈터시즌이었나? 데뷔하고 첫 우승했을 때야."

"저랑 똑같은 나이네요."

"남자는 군대 갔다 오면 다 아저씨가 되거든."

윤이설은 민호의 얼굴을 흘끗 바라봤다가 액자로 눈을 돌리며 그가 들리지 않게 속삭였다.

"아저씨 치고는 무지 멋있죠."

그녀가 얼굴의 물기를 닦는 사이 민호는 다시 방 안에 들어가 옷가지를 챙겨 나왔다.

"이게 맞을지 모르겠네."

"아녜요, 오빠. 그냥 이렇게 있다가 가면 돼요."

민호는 윤이설이 입고 있는 티셔츠와 반바지를 바라보았다. 현관 앞에서 물기를 짜긴 했지만 햇빛도 없는 지금 잘마를 리가 없었다. 게다가 물에 젖은 상의는 언뜻 안이 비쳐 보이는 상태였다.

시스루도 아닌 것이, 새하얀 피부와 맞물려 묘하게 두근거리게 만드는 모습. 좀 있으면 올 후배들에게 결코 보여주고 싶지 않은 광경이었다.

"그냥 그렇게 있다 가면 안 되지."

"네?"

민호는 윤이설의 팔을 휙 낚아채 욕실 앞으로 끌고 갔다. 들고 온 옷가지를 그녀의 팔에 안겨주고 그대로 밀어 넣었다.

"너는 가수가 돼서 몸 관리를 할 줄 몰라. 감기 걸리면 큰일이잖아. 보일러 켜져 있는 상태니까 추우면 따뜻하게 씻어."

"또 혼났어……."

문 뒤의 그녀가 키득거리는 것이 느껴졌다.

민호는 오늘 그녀를 나무라기 위해 만나려 했었다. 몰래 편곡자로 이름을 올려 음악계에 강제 데뷔하게 된 것은 분명 원치 않았던 일이니까. 그러나 막상 얼굴을 마주하고 보니 화는커녕 자꾸만 챙겨주게 됐다.

세상물정 모르는 여동생을 든든하게 보필해 주는 오빠의 심정이 이런 걸까?

피식 웃던 민호는 주머니 속 휴대폰이 진동해 손에 쥐었다. 공 매니저로부터 문자가 왔다.

[민호 씨, 혹시 더 스마트 출연자 분 중에 변호사님 있습니까?]

민호는 바로 그렇다는 답문을 보냈다.

[방금 전화 와서 민호 씨 연락처를 묻기에 일단 의사를 묻고 말씀 드리겠다고 보내놨습니다.]

'더 스마트'의 변호사라면 데스매치에서 살아났던 하비 박을 말하는 것이다. 게임 본연의 측면보다는 외적인 것에서 판을 흔들려 했던 플레이어기에 이미지가 좋진 않았다.

'2회전 게임 전에 술수를 쓰려는 걸까?'

민호는 술수를 쓴다면 미리 겪어보는 것이 낫겠다는 판단에 '저는 상관없어요'라고 문자를 보냈다.

"내가 일등이다!"

현관 쪽에서 소란스러운 소리가 들려왔다. 그리고 문이 덜커덩 열렸다.

　"어? 벌써 온 사람이 있어? 분명 먼저 뛰어 왔는데."

　가람의 목소리였다. 민호는 줄줄이 들어오는 후배들에게 손을 들어 보였다.

　"왔냐?"

　다들 우산 없이 나갔던지 주차장에서 뛰어오느라 비를 살짝 맞은 상태였다.

　"민호 형!"

　가람이 복도를 가로질러 한달음에 달려왔다.

　"간만에 일찍 오셨네요. 오신 김에 3연전 도전합니다."

　"저도요!"

　뒤따라온 영호도 손을 번쩍 치켜들었다. 서은하의 사인을 스스로의 힘으로 쟁취하겠다는 두 사람의 집념에 민호는 고개를 끄덕이며 말했다.

　"오늘은 바쁘니 둘 중에 이긴 사람만 오너라."

　가람과 영호의 눈에 불꽃이 튀었다.

　달칵.

　그때, 욕실의 문이 열리고 수건으로 머리를 털고 있는 한 사람이 걸어 나왔다.

　"다 갈아입었어요, 오빠."

욕실에서 여자가 튀어나오자 가람은 '헉' 하고 놀라 민호를 바라봤다. 아무도 없던 숙소, 목욕. 같이 비밀스런 무언가를 한 거 아니냐는 의심과 경악의 눈초리가 이어졌다.

"민호 선배님, 진짜 존경스럽⋯⋯."

"따샤!"

"아악!"

민호는 가람의 이마에 딱밤을 넣었다.

"누굴 보고 불손한 생각이야. 네가 상상하는 그런 거 아니다."

복층 구조의 게임단 숙소 2층.

전략회의실 입구에는 민호의 후배들이 잔뜩 몰려와 안쪽의 대화에 귀를 기울이고 있는 상태였다. 민호는 유리문에 얼굴을 부비부비 중인 후배들의 행동에 손으로 눈을 가리며 고개를 저었다.

"하, 쪽팔리게."

윤이설은 눈웃음을 지으며 시선이 마주친 후배들에게 일일이 고개를 숙여 보였다.

도저히 안 되겠다고 생각한 민호가 문을 벌컥 열었다.

"구경 다 했으면 훈련 시작해. 감독님 부를까? 아침까지 빡겜해 볼래?"

정색한 민호의 표정에 다들 우르르 1층으로 도망쳤다. 민호는 자리로 돌아오며 한숨을 내쉬었다.

"왜요, 전 괜찮아요. 다들 착해 보이고."

"이설아. 남자는 다 늑대야."

"오빠도요?"

"당연하지. 나도 남잔데."

민호는 윤이설의 늘씬한 다리에 시선이 머물렀다. 건네준 남방의 기장이 무척 길어 원피스를 입은 것마냥 옷 아랫부분이 허벅지까지 내려온, 침이 꿀꺽~ 넘어가는 광경. 분명 안쪽에 반바지를 입고 있다는 것을 알고 있지만 머릿속은 다른 상상력으로 채워지고 있었다.

"암튼!"

고개를 좌우로 흔든 민호가 말했다.

"정리할 것부터 빨리 정리하자. 이설이 네가 만들고 부를 노래는 언제든 들어주고 도와줄 수 있어. 하지만 그건 비밀. 다른 사람에게 말하지 마."

"그렇지만……."

"그리고."

민호는 윤이설을 보며 자못 심각한 표정을 지었다.

"이제 전처럼은 시간 못 낼 거 같아. 스케줄도 많고, 고정 프로그램 들어가면 시간이 안 나올 거 같아."

윤이설이 시무룩해하는 것이 그대로 보여 민호는 계속 진지한 얼굴을 유지했다. 그러나 얼마 못 가 쿡 하고 웃음을 터뜨렸다.

"그래서 그냥.고정 스케줄로 짜 놨어."

"네?"

"윤이설의 앨범 프로듀싱을 정식으로 맡겠다고 했지. 전처럼 Once에서 하자. 나중에 공 매니저님한테 스케줄 표 받아다 줄게."

"정말요?"

곧바로 얼굴이 확 피는 것이 무척 기쁜 모양이었다. 그 솔직한 반응에 민호도 함께 웃으며 말했다.

"앨범에 몇 곡이나 들어가?"

"13곡이요."

"만나면 한 곡 정도 가능할 테니까, 먼저 나온 음원 2개 빼고 11곡 스케줄 잡으면 되겠지?"

11번이나 만날 수 있다는 말에 윤이설은 더없이 기쁜 표정을 지었다.

"아, 오빠."

"응?"

"작업해 놓은 게 더 있어서 곡이 늘어날 거 같아요. 여유 있게 15곡 정도로 잡으세요."

민호는 팔짱을 끼고 윤이설의 눈을 바짝 들여다보았다. 갑자기 민호의 얼굴이 가까워지자 윤이설이 당황에 빠졌다.

"왜, 왜요? 지, 진짜란 말이에요."

"오케이 15곡. 정리 끝."

"혹시 모르니까 20곡……."

민호는 검지로 윤이설의 이마를 콩 찍었다.

"고만해."

"에헤~"

"바라다 줄 테니까 가자."

민호는 2층에서 내려와 차키를 가져오기 위해 방으로 들어갔다. 윤이설이 내려오자 후배들이 또다시 몰려들었다.

"홍대여신 윤이설 씨 맞죠? 저 팬입니다!"

"저도 오늘부터 팬 할랍니다!"

방에서 나온 민호는 혀를 차며 후배들을 물러 세웠다.

"자식들아, 너네보다 동생이니까 좀 오빠답게 굴어!"

주차장으로 향하는 길.

소나기가 그친 후의 저녁공기는 선선했다. 윤이설은 무더운 여름날 쉽게 만나볼 수 없는 상쾌한 공기에 양팔을 쭉 뻗은 채 숨을 한껏 들이쉬었다.

"후아~ 노래 부르기 딱 좋은 날씨죠?"

콧노래를 흥얼거리며 걷기 시작한 윤이설의 뒤에서 가만히 뒤따르고 있던 민호가 물었다.

"무슨 노래야? 멜로디 좋은 거 같아."

"아직은 아무 노래도 아니에요. 제목만 정했는걸요."

"제목?"

윤이설이 나직이 대답했다.

"또 비가 왔으면."

"설마 방금 만든 노래야? 또 비 오면 뭐 하게?"

우산을 같이 쓰고 걷는다거나, 비를 피해 들어간 좁은 공간에 단둘이 서 있다가 눈이 마주친다거나.

기분 좋은 상상에 웃고 있던 윤이설은 민호의 시선이 느껴지자 얼른 고개를 숙이고 휙 걸어 나갔다.

"있어요, 그런 게."

민호가 옆길을 가리켰다.

"어디가? 내 차 여기 있는데."

"아……."

부끄러운 듯 고개를 푹 숙인 윤이설을 보며 민호는 싱긋 웃었다. 전에 들었던 노래들도 그렇고 이설이의 창작 활동 대부분은 그녀가 겪은 경험에서 오는 거 같다는 생각이 들었다.

'기왕 나온 것 Once에나 가볼까?'

고민하던 찰나 민호의 휴대폰이 울렸다. 모르는 번호로부터 온 전화였다.

"여보세요?"

—강민호 씨?

딱딱한 톤의 목소리가 들려왔다.

"누구시죠?"

—하비 박.

공 매니저에게 번호를 듣자마자 전화를 해온 모양새였다.

"박 변호사님이 무슨 일이시죠?"

'더 스마트' 관련한 일이라면 대충 들어 넘기고 월요일 촬영 때 보자는 도발을 남기려 했던 민호는 전화 너머에서 들려온 의외의 말에 우뚝 멈춰 섰다.

—한번 만났으면 하는데. 최 회장님의 담당 변호인으로서 할 말이 있어서 말이야.

다음 날.

"정말 여기서 내리시는 겁니까?"

"네, 오후 스케줄 맞춰서 회사로 갈게요."

'K&P 인터내셔널 로펌'이 자리한 종로의 거리에서 민호는 공 매니저에게 손을 흔들었다.

밴이 떠나고, 회중시계를 꺼내 보니 오전 8시 30분을 가리
켰다. 하비 박과 약속한 시간은 9시. 출근 시간에도 굴하지
않는 공 매니저의 능숙한 운행 덕분에 좀 이른 시간에 도착
한 감이 있었다.

민호는 빌딩을 천천히 둘러보았다.

건물은 오래되어 보였으나 도심 중심부에 자리 잡은 위치
가 결코 만만한 규모라 생각할 수 없게 만들었다. 게다가 벽
면 한쪽을 장식해 놓은 대형 광고판은 멀리서도 눈에 띌 만
큼 화려했다.

-당신의 전략적 파트너. 국경을 넘나드는 풍부한 경험을 가진 국내
최대의 글로벌 로펌.

지난주 게임 내내 협력했던 동료를 간단하게 아웃시켜 버
린 냉혈 변호사가 웃는 얼굴로 회사를 설명 중이었다. 어째
소름이 좀 끼치는 광고판에 민호는 고개를 저으며 빌딩 안으
로 발걸음을 옮겼다.

로비의 경비원에게 방문 목적을 말하자 친절하게 12층이
라고 알려주었다.

딩동.

민호는 막 도착한 엘리베이터에 올라 버튼을 눌렀다. 그리
고 생각에 잠겼다.

하비 박이 최 회장의 변호사라 해도 그날 일로 문제 삼을 부분은 전혀 없었다. 고모의 법전과 최 회장의 지식을 통해 법적인 조율까지 끝낸 문제니까. 다시 이름을 언급하는 것부터가 최 회장만 손해 보는 일이었다.

그랬기에 민호는 어젯밤 윤이설을 데려다주자마자 곧장 고모를 찾아갔다. 하비 박이 다른 속셈이 있는 것이 분명했고, 그런 상대를 만나기 위해서는 준비가 필요했기에.

민호는 고모의 든든한 법전이 담겨 있는 가방을 부드럽게 어루만졌다. 자세한 사정을 모르는 고모에게 공부하기 위해 빌려주세요, 하니 그녀가 아무 소리도 하지 않고 건네주었다.

'근데 아주 늦게 돌려줘도 된다는 건 왜지?'

검사 일에 흥미를 갖길 바라는 강윤정의 흑심을 아직은 알 길 없는 민호였다.

민호는 유리에 비친 몸을 살피며 입고 있는 슈트도 한차례 점검해 보았다.

겉을 보고 평가하길 좋아하는 이쪽 사회의 특성상 꿀리지 않게 입느라 아침부터 김 코디에게 부탁했다. 다행히 신상 고급 브랜드 정장은 몸에 착 들어맞았다.

'이 정도면 뭐.'

하비 박을 상대하기 위한 준비는 완료다.

딩동.

12층의 문이 열렸다.

창밖으로 도시의 전경이 한눈에 들여다보이는 상층부가 고스란히 눈에 들어왔다. 민호는 종로 한복판의 멋진 뷰에 감탄하며 안쪽으로 발걸음을 옮겼다.

업무가 시작되는 시간 전임에도 자기 일에 바삐 움직이는 사람투성이였다. 들어와 보니 국내 최대의 로펌이라는 광고가 그냥 한 소리는 아니라는 생각이 들었다.

"하비 박 변호사님을 만나러 왔어요. 이름은 강민호."

전화와 컴퓨터를 동시에 만지고 있던 접수대의 직원은 모니터를 확인하더니 옆을 가리켰다.

"저쪽에서 대기하세요."

약속 시각이 25분이나 남았기에 별수 없이 휴게실로 움직였다.

휴게실엔 조용히 차를 마시며 담소를 나누고 있는 사람들로 북적였다. 민호는 그들 틈에 앉아 오후에 있을 패션채널 방송에 관련된 자료를 꺼내 들었다. 최신 트랜드의 옷을 입어보고 품평하는 코너. 젊은 여성층 공략에 필수라며 공 매니저가 적극적으로 추천한 스케줄이나 모르는 패션 용어가 많다 보니 자료가 두툼했다.

그러나 민호는 전혀 당황하지 않았다.

'후훗.'

주머니에서 백금반지를 꺼내 착용하고 쪽 하고 입을 맞춘 민호는 자료에 집중했다. 요즘 같아서는 학창시절에 콧방귀만 뀌던 모범생처럼 "공부가 제일 재미있어요"라고 말하고 다니고 싶은 심정이었다.

'너 아니었으면 어쩔 뻔했냐.'

중얼거리며 1분 동안 상당한 페이지를 외웠다. 민호는 그중에 'BOYSHORTS'라는 용어만 보고 바로 기억을 더듬었다.

─허리선은 낮으면서 엉덩이는 완전히 감싸는 직사각형에 가까운 팬티. 민망한 팬티 라인에 대한 걱정에서 해방될 수 있다.

─오늘 모의재판 정택진 변호사님이 주관한다던데? 다 죽었다, 우리.

─이길 가능성 제로겠지?

생각한 즉시 떠오르는 정보에 만족하던 민호는 동시에 옆에서 들려온 대화까지 전부 선명하게 기억에 남아 있는 것을 깨닫고 머리를 긁적였다. 반지의 능력이 발동되면 귀의 감각이 예민해지는 탓에 멀리 서 있는 사람의 목소리도 잘 들린다.

'이거 떠버리들 틈에서 공부하면 나중에도 정신없겠어.'

민호는 결국 자료를 덮고 옆쪽에 시선을 던졌다.

1분 동안 그도 모르게 엿듣고 기억한 대화 내용을 떠올린 민호는 이 안에 있는 이들 대부분이 얼마 전에 뽑힌 신입들임을 알 수 있었다. 이들은 업무 시작 전에 이곳에 모여 일의 어려움을 토로하는 중이었다.

나름 차려입었다고 생각하고 있던 자신과 비슷한 옷을 입고 있던 탓에 의도한 바는 아니나 분위기가 비슷했다.

"정택진 변호사님, 1층에 오셨데!"

"벌써?"

"회의실! 준비해!"

누군가의 외침에 휴게실에 있던 인원이 우르르 몰려나갔다. 마시고 있던 커피도 내팽개치고 달려 나가는 것을 지켜보던 민호는 속으로 안타까움을 느꼈다.

급이 낮은 이의 비애는 엘리트 집단이건 산골에 처박힌 군대건 똑같다. 연대장의 급습 방문에 당황해 맨발로 뛰어나가 맞이하던 대대장과 중대장들의 처연한 뒷모습이 저들의 등에 투과됐다.

어쨌든 주위가 조용해져 민호는 다시 자료를 공부했다.

얼마 후, 휴게실로 불쑥 고개를 내민 한 사내가 민호 쪽을 보며 말했다.

"어이, 신참."

"저요?"

민호는 신입이 아니라고 고개를 흔들려다 복도 저편에서 아른거리는 은은한 빛에 시선이 머물렀다.

'와우!'

벽이 빛나고 있는 것을 보아하니 저건 흔하게 마주치기 어려운 애장공간이었다.

"회의실에 이 자료 좀 가져가서 나눠줘. 난 조금 늦는다고 전해 주고."

사내는 뭐가 그리 급한지 민호의 대답조차 기다리지 않고 문서철을 가까운 테이블에 휙 던졌다.

"이봐요!"

이미 저 멀리 가버린 사내를 보며 민호는 혀를 찼다.

반지를 착용한 덕분에 순간적으로 관찰한 사내의 가슴팍엔 신입들이 호랑이 선배라고 무서워하던 변호사 정택진이란 이름이 담긴 직원 카드가 자리해 있었다. 저걸 나 몰라라 한다면, 신입들만 죽어나리란 것은 당연지사.

민호는 입구의 탁자로 걸어가 문서를 들었다. '8월 13일 모의재판 요강'이란 글귀가 적혀 있는 것을 보고 아주 짧게 고민하던 민호는 복도 끝에 시선이 머물렀다.

기다리라고 했던 접수대의 직원은 아까보다 더 정신없어 보였다.

'약속은 15분 남았으니까.'

문서 건네주고, 저 방을 구경하고 돌아와도 충분한 시간이었다.

민호는 휴게실을 나와 복도를 가로질렀다.

"오늘은 어떤 걸까?"

"정 변호사님이잖아. 내 생각엔 다 죽어보라고 골치 아픈 문제를 들고 올 것 같아."

매주 수요일, 파트너급 변호사의 주관으로 시작되는 모의재판시간은 K&P의 신입 변호사들에겐 악몽과도 같은 시간이었다. 피고나 원고, 둘 중 하나를 택해 단체로 파트너급 변호사와 대결해야 했다.

승소해도 패소를 해도 과정상 오류가 보이면 신랄한 비판이 뒤따르기에 재판경험이 미천한 신입들로서는 모의재판마다 살얼음판을 걷는 기분으로 참여해야 했다.

달칵.

회의실 문이 열리자 줄지어 앉아 있던 십여 명의 신입 모두 긴장해서 고개를 돌렸다. 민호는 그 잔뜩 굳은 시선들을 마주하자 부드럽게 웃으며 손에 쥔 문서를 내밀었다.

"정 변호사님이 이것 좀 전해 주라네요. 그리고 좀 늦으신데요."

모의재판 자료임을 확인한 신입들이 모두 뛰어와 하나씩 받아갔다.

"부당해고 건인가?"

"누굴 택해야 유리할까? 사측 입장이랑 해고된 측의 입장 모두 타당해."

"아무래도 기업 변론을 할 때가 많으니 사측으로 가자."

신입들이 웅성거리는 가운데 민호는 회의실 뒤편의 벽 쪽에 시선을 두었다.

'벽이 이어져 있네.'

회의실 바로 반대편이 애장공간이었다.

민호는 문서를 보느라 여념이 없는 신입들을 흘끔 살피고는 여기서 확인해 보기로 했다. 복도에서 손댔다가 미란다 때처럼 굳어지기라도 하면 난감해질 테니.

떨리는 손길로 벽에 손을 댄 민호. 빛이 사라지고 기대감이 가득한 눈으로 다음 반응을 기다렸다.

'으잉?'

변호사니 변리사니 능력자의 힘이 깃들어 있겠거니 생각했던 민호는 생각과는 전혀 다른 광경이 눈앞에 펼쳐져 움찔 놀라 손을 뗐다.

발로 밟아야 하는 재봉틀을 이용해 무언가를 만드는 광경. 그 최종 결과물은 '앞으로 입고 앞으로 벗는 최신형 후로나

브라자'였다. K&P의 엘리트 중 하나가 멋들어진 정장을 차려입고 털털거리는 소리를 내는 재봉틀을 다룬다고 상상해 봤으나 너무 은밀한 취미였다.

'벼, 변태?'

한 듯 안 한 듯한 누드 브라까지 나오는 마당에 완전 촌스러운 브래지어를 최신형으로 생각하는 마인드에 뭔가 이상함을 느낀 민호가 고개를 돌렸다.

"저기요."

민호는 가장 가까이 있는 신입에게 조심스레 물었다.

"이 너머에 뭐가 있죠?"

"창고인데요?"

"창고요?"

고개를 갸웃하던 민호는 방금 떠오른 장면 속 브래지어가 20년은 되어 보이는 모델이라는 것을 깨닫고 신음을 흘렸다. 건물이 오래되다 보니 K&P가 입주하기 전 누군가의 애장공간이 남은 것이다.

20년 전 즈음에 이곳은 속옷을 생산하던 장소였을 것이다. 아무짝에도 쓸모없는 공간을 발견한 것에 허탈함을 느낀 민호가 등을 돌렸다.

"왜 그러시죠?"

"아, 아니에요. 할 거 하세요."

말을 걸었던 신입에게 가볍게 고개를 숙여 보인 뒤에 문으로 향했다.

"원고는 의뢰인에 대한 경멸적 행태를 보였다고!"

"소문일 뿐이야. 사측을 택하는 게 우리한테 더 유리해."

"이건 백 프로 부당해고야!"

신입들 틈에서 두 사람이 언성을 높였다. 그들에게도 사활이 걸린 일이기에 감정이 격해진 탓이다.

게다가 첨예하게 대립하고 있는 두 사람이 사법고시 수석과 연수원 수석 수료자였기에 다른 이들도 섣부르게 누구의 말에 동조하지 못했다.

밖으로 가는 문 앞에 선 민호는 약속 시각이 5분만 남지 않았다면 이 나라 법조계의 샛별, 엘리트 두 사람이 주먹다짐을 벌이는 걸 볼 수 있었을 텐데 하고 아쉬워했다.

"또 깨질 일 있어? 원고로 해!"

"피고가 낫다니까!"

말은 서로 잡아먹을 듯하지만, 아직 주먹이 오고 가진 않았다. 그렇게 저들을 보고 있자니 애장공간을 살피며 저절로 기억하게 된 모의재판 개요가 떠올랐다.

'김찬은 K&P의 신입 변호사다. 어느 날 술에 만취한 나머지 친구들과 함께 상사인 하비 박을 흉내 냈다. 이날 찍힌 동영상은 SNS 사이트에 퍼졌고, 다음 날 김찬은 해고를 당

했다. 김찬은 현재 부당해고로 회사를 제소한 상태다.'

내용이야 귀에 쏙쏙 들어와 있으니 재판의 향방을 알고 싶어진 민호가 가방 위를 열고 고모의 법전에 손을 댔다.

'으음, 별거 아니네.'

고모의 경험으로 미루어 내린 판단은 합리적이었다.

달칵.

민호가 나가기 위해 문을 열자 정택진인 줄 알고 움찔한 모두가 갑자기 숨을 죽였다. 또다시 주목을 받게 되자 민호는 멋쩍은 표정을 지었다.

"당신 누구지? 처음 보는데."

"아…….''

"지난주에 퇴사한 로스쿨 출신 대신 온 건가? 내일 온다고 들었는데."

사법고시 수석, 윤도석이 눈을 빛냈다. 민호가 차려입은 복장이 그들과 비슷했기에 언뜻 보면 신입으로 착각할 만했다.

민호는 은근슬쩍 나가려다 걸린 마당에 적당한 변명거리가 떠오르지 않아 말을 돌렸다.

"저기, 이 모의재판 말인데. 의견 하나만 말해도 될까요?"

재판 얘기를 꺼내자 신입 모두 눈이 초롱초롱해졌다.

"제가 봤을 때는 양쪽 논리에 허점이 많거든요. 과정이 좋게 진행되기 어려울 것 같은데. 굳이 어떤 걸 선택해야 한다고 싸울 필요는 없어 보여요."

연수원 수석 수료생, 김성수가 코웃음을 쳤다.

"뭔 소리야? 부당해고 판례 찾아보면 널려 있구만. 이것도 그중에 하나일 뿐이야."

모의재판은 실제 사건을 대비해 다양한 경험을 쌓기 위해 벌이는 게임과도 같은 것이다. 정답이 없기에 논리가 출중한 쪽이 점수가 높다. 민호는 그렇기에 저들이 아무리 기를 쓰고 덤벼봤자 상대할 정택진 변호사를 이기기란 힘든 일임을 알았다.

"음."

민호는 기왕 멈춰 선 것 고모의 법전에 손을 올린 채 말했다.

"우선, 해고당한 김찬 측 논리는 이래요. 김찬은 모르는 새에, 의도치 않게 동영상에 찍혔죠. 여기 있는 누구든 할 수 있는 뒷담화 겸 농담을 한 것뿐이고요."

이 말에 윤도석이 말했다.

"맞아! 원고를 택해야 한다니까. 동영상 속 김찬의 발언은 해석의 여지가 충분해."

"그런데요……."

민호는 뒤이어 말했다.

"하비 박 측도 논리는 충분해요. 명예훼손을 근거로 김찬을 고소할 수 있죠. 동영상으로 하비 박의 인상에 부정적인 영향을 미쳤고, 재정적 건강성을 훼손시켰으니까요."

김성수가 고개를 흔들었다.

"명예훼손은 성립해도 재판에서 승소하려면 피고 측 발언에 사실과 다름이 있어야 해."

"하비 박과 함께 근무하고 있던 증인들이 누구의 손을 들어줄지는 뻔하지 않나요?"

맞고소라는 새로운 재판 양상을 논하자 모두의 의견이 더욱 갈리는 사이, 민호는 결론을 말했다.

"그래서 여러분이 뭘 택하건 변론은 불안정할 수밖에 없다는 거죠. 모의재판은 승소와 패소보다 그 과정 속에서 여러분이 택해야 할 K&P로펌의 가치관을 확립하는 게 더 중요해요. 그러니 아무거나 택하세요. 애들처럼 싸우지 말고."

마지막 말은 고모의 시선으로 본 신입의 평이었기에 민호가 일부러 감정을 섞어 얘기한 것은 아니었다. 그러나 윤도석과 김성수는 금방이라도 달려 나올 것처럼 눈을 부라렸다.

"잠깐만요."

민호도 고모의 성질을 깨닫고 움찔 놀랐다. 그리고 두 사람에게 진정하라는 손짓을 하며 말했다.

"다른 방법도 있어요."

"다른 방법?"

"합의하면 5분이면 끝나는 일을 갖고 싸울 필요 없다 이거예요. 부당해고니 명예훼손이니, K&P와 해고된 직원 모두가 원원이 된 힘들죠."

"합의? 모의재판인데?"

"모의재판이지만 실제와 같은 논리가 적용되는 과정도 함께 진행하죠. 가상이지만 변론준비기일도 있다면서요?"

승소와 패소만 생각하던 고정관념에 찌들어 있던 모두가 귀를 쫑긋하는 사이 민호는 복도 저편에서 정택진이 걸어오고 있는 것을 느끼고 빠르게 말했다.

"재판은 필요조건이 아니에요. 무슨 논리를 들어도 실패할 가능성이 있는 업계의 대선배가 상대라면 더더욱. 그게 일어날 수 없는 상황으로 몰고 가면 되죠. 누가 이기고 지네를 논리적으로 따지다가 깨지는 것보다, 서로에게 이득이 될 협상으로 끌고 가는 게 더 쉽지 않아요? 그럼, 전 이만."

"합의라. 확실히 정 변호사님에게 논리적으론 한 방 먹일 수 있겠어."

"괜찮은데?"

민호는 그들이 고민하는 사이 문을 닫고 나왔다. 약속시간이 3분 남은 터라 더 떠들 여유도 없었다.

회의실 앞으로 다가온 정택진의 '넌 뭐야?' 하는 눈길에 민호는 주머니에서 방문자 확인증을 꺼내 보였다.

"클라이언트셨군요. 그런데 여기는 왜?"

"화장실을 좀 찾다가요."

"쭉 가서 왼쪽입니다."

"감사해요."

문 안으로 들어선 정택진은 방금 마주친 이가 어디서 본 것 같은 얼굴이었다는 생각에 고개를 갸웃했다.

민호는 휴게실로 돌아왔다.

"강민호 씨."

접수대의 직원이 민호를 보자마자 엘리베이터를 손짓해 보였다.

올백의 미중년이 엘리베이터에서 내렸다. 방송 출연 때도 연예인보다 잘 꾸미고 다니더니 지금도 머리부터 발끝까지 삐까번쩍했다.

기업법무 전문 K&P의 간판변호사. 하비 박이 민호를 발견하고 다가섰다. 담담하게, 그러나 자신감이 넘쳐 보이는 미소는 접대의 표본이라 할 수 있을 만큼 인상적이었다.

"강민호 씨, 반가워."

"반가울 게 뭐 있나요? 안부 묻자고 찾아온 게 아닌데."

"하하. 그건 그렇지."

법전의 영향을 받다 보니 까칠한 고모의 말투가 그대로 인용됐다.

민호는 바로 본론을 논하자는 눈빛을 보냈다. 직원들이 돌아다니는 이곳에서는 꺼낼 수 없는 이야기였기에 하비 박은 미소를 잃지 않은 채 사무실을 가리켜 보였다.

"들어가지."

안내되어 들어간 하비 박의 사무실은 삭막했던 고모의 사무실과는 분위기부터가 판이했다. 상류층의 취미를 과시라도 하듯 벽장 한쪽을 채우고 있는 서양풍의 도자기들은 별다른 지식이 없는 민호가 보기에도 고가로 보였다.

민호는 사무실 안쪽의 가죽 소파에 앉자마자 물었다.

"최 회장의 기소 건은 담당 변호사님이 원하신 데로 해결된 것 아닌가요?"

"워워. 진정해. 민감한 사안에 대한 직접적인 언급은 서로 피하자고."

최 회장의 남다른 비밀은 변호사의 비밀유지의무 때문에 밝혀져서는 안 될 문제였다. 민호는 그것을 이해했기에 돌려 물었다.

"그 민감한 사안을 누구보다 잘 아시는 분이 절 왜 불렀죠?"

"어제 심도 있는 면담을 하고 왔거든. 최 회장님이 강민호를 언급하기에 누군가 했어. 내가 알고 있는 건 지난주 서바

이번 프로에서 우리 연합을 박살 낸 프로게이머 강민호인데. 동명이인이라고 하기에는 인상착의가 너무 똑같아서 말이지."

하비 박은 서류 가방을 내려놓고 민호의 맞은편에 앉았다.

"최 회장님은 민호 씨가 검찰청 라인을 타고 있는 법조계 사람인 줄 알고 있었어. 프로게이머로 정정해 주고 나니 이런 질문을 하시더라고. 어떻게 새파랗게 젊은 청년이 쟁쟁한 검사들 틈에서 그렇게 활동할 수 있는 건지."

"법 공부를 꽤 했거든요."

민호는 사실 그대로 대답하는 게 낫겠다는 판단에 덧붙였다.

"고모님이 부장검사기도 하고."

자신의 프로필이야 인터넷에 치면 나오는 것이고, 이럴 때는 대범하게 법 관련 지식이 상당하다고 대놓고 말하는 편이 편하다. 다른 경우와 달리 법전은 언제든 빌릴 수 있으니까.

"강윤정 검사는 유명하지. 북부지검에 소장이 가면 그녀가 있는 과에 배정되지 않길 비는 변호사들이 수두룩하거든."

"박 변호사님도 대결해 보셨나요?"

"형사 전문이 아니라서 말이야."

어떻게 최 회장과 자신을 연결했는지는 알게 됐고. 민호는 여유 있게 웃고 있는 하비 박을 향해 물었다.

"그래서 본론이 뭐죠? 저 때문에 민감한 사항이 들통날까 봐?"

고모의 지식을 빌어 추론한 바로는 은밀한 비밀이 밝혀지는 것이 불안해서는 아닐까였다.

하지만 자신은 대답할 수가 없었다. 언급하는 순간 모든 사실이 드러날 테고, 법적인 문제는 둘째 치고 최 회장뿐만 아니라 이 일로 인해 비자금 수사를 받게 된 전 시장까지 자신을 견제하게 된다.

'가만, 이건 최 회장도 알 텐데?'

최 회장의 구두로 온갖 궁리를 해보았던 민호였다. 그중에는 자신 역시 빼도 박도 못한다는 최 회장의 안도감도 존재했다.

그렇다면 두려움을 안고 있는 것은…….

민호의 시선이 하비 박을 향했다. 그리고 미소를 지었다.

"변호사님이 불안했던 거군요?"

"부정은 하지 않겠어."

하비 박은 이 비밀이 새어 나가는 순간 클라이언트의 비밀을 엄수하지 못한 죄를 뒤집어쓰게 된다. 설령 하지 않았더라도 그와 일을 하고 싶어 할 기업은 없어질 것이다. 그것은 법조계에서 사형선고와도 같은 일.

"사건이 아니라 사람을 건드린다. 강민호 씨의 신문 전략은 훌륭했어. 스물넷의 나이라는 것이 믿기지가 않을 정도야."

어깨를 으쓱할 법한 칭찬이나 민호는 대수롭지 않게 넘겼다. 법전과 구두를 자신만큼 활용할 수 있으면 누구나 가능한 일이니까.

"그래서 말인데, 이번엔 내가 강민호 씨를 위한 제안을 하나 할까 해."

하비 박은 가람이 매주 챙겨보는, 유쾌한 해적들이 나오는 애니에서 나온 대사를 할 법한 표정을 지었다. 그리고 문서 하나를 탁자 위에 올렸다.

민호는 '비밀보장각서' 정도라 생각하고 시선을 내렸다가 눈을 크게 떴다.

"광고 모델 계약서?"

"이건 사본이고 민호 씨 소속사에 정식 문서가 갈 거야."

민호의 의문 가득한 표정에 하비 박은 차분히 설명했다.

"계약서를 보면 알겠지만, 이건 입막음 용도로 뇌물을 먹이겠다고 제안을 하는 게 아니야. 로펌 차원에서 민호 씨의 스마트한 이미지를 활용하려는 거지. 내가 봤을 때 '더 스마트'에서 끝까지 남을 법한 사람들은 정해져 있다고 봐. 민호 씨도 그중 하나고."

조금은 허탈해진 심정이 된 민호가 중얼거렸다.

"뜻밖이네요."

"나야말로. 강민호 씨가 실제 변호사 업무를 봐도 손색없을 정도의 판단력이 있으리라고는 예상치 못했거든. 그리고 민호 씨를 택한 다른 이유도 하나 있어."

"다른 이유요?"

"민호 씨는 그날 검사 측의 이득뿐 아니라 최 회장님의 사정도 고려해 줬어. 최 회장님도 그 부분을 마음에 들어 하며 민호 씨를 칭찬했거든. 새 아파트 론칭하면 모델로 쓰고 싶다고도 하더라고."

하비 박이 눈을 빛내며 말했다.

"최 회장이 독특한 취향을 갖고 있긴 해도 이것 하나는 확실해. 남자 보는 눈."

말이 끝난 직후 민호는 등줄기에서 으슬으슬함을 느껴야 했다.

어쨌거나 광고 계약 문제라면 임소희가 잘 알아서 선별해 줄 것이기에 한시름 덜었다. 이곳에 들어서다 본 대형 광고판에 자신의 얼굴이 걸릴 수도 있다는 생각이 들자 뭔가 재밌어 보이기도 했다.

'국경을 넘나드는 풍부한 경험을 가진 국내 최대의 글로벌~'

상상해 보던 민호는 올백 머리는 안 어울리겠다는 생각에 속으로 웃고 말았다.

"얘기는 다 끝났죠?"

민호가 자리에서 일어나자 하비 박도 일어나 악수를 청했다.

"정식 계약이 체결되면, 어때? 우리 로펌에서 일해 볼 생각 없어? 로펌에는 민호 씨 같은 수완가가 필요해."

"제가요? 무슨."

"퀴즈쇼 우승했다고 들었는데, 공부 조금만 하면 사시 패스도 가능한 거 아니야?"

"대한민국 엘리트를 선별하는 시험이 그리 간단할 리가요."

"저 옆 회의실에 그 엘리트 신참들 잔뜩 모여 있는데, 쓸 만해지려면 아직 멀었어."

민호는 그건 그렇다고 고개를 끄덕이려다 멈칫했다. 그사이 하비 박이 말을 이었다.

"진지한 제안이야."

"진지하게 거절입니다. 스케줄이 있어서 이만."

싱긋 웃어 보인 민호가 사무실 밖으로 나갔다.

사무실에 앉아 서류를 뒤적거리고 있던 하비 박은 갑자기

문을 박차고 들어온 정택진을 보며 눈살을 찌푸렸다.

"뭐야?"

"박변, 자네 클라이언트 중에…… 그 뭣이냐. 키 이만하고 신참 복장하고 있던 사람 있지?"

"강민호 말하는 건가?"

"이름은 모르겠고. 암튼 그 사람 좀 찾아줘 봐봐."

"두 시간 전에 갔는데, 왜?"

정택진은 하비 박 앞에 털썩 앉으며 혀를 찼다.

"얘들이 모의재판에서 이상한 수법을 쓰기에 물어봤더니 그 강민호라는 친구가 알려줬다는 거야."

"이상한 수법?"

"글쎄 합의를 보재. 왜 재판보다 합의가 이득인지 조목조목 따지고 드는데 간만에 말싸움 신나게 했지."

하비 박은 피식 웃고 말았다.

"틀을 깨려고 들었군."

"하, 얘기 좀 해보고 싶었는데 말이야."

"걱정 마, 조만간 올 거야. 로펌 광고 모델로 추진 중이야."

"뭐? 모델이었어? 무슨 모델이 말 몇 마디로 애들을 휘어잡아?"

"게임의 논리를 잘 아는 친구거든."

"어째 자네랑 비슷하네?"

"글쎄……."

스타일온 채널의 '패션 라이브' 촬영장.

민호는 명동의 한 패션 매장 안에서 몇 시간째 옷만 갈아입으며 촬영하는 있는 중이었다.

핸드캠을 들고 있는 MC 이나은이 여자 모델의 손끝을 가리키며 말했다.

"이렇게 너클링을 활용하면 포인트를 줄 수 있죠."

'너클링. 손가락 마디에 끼는 반지의 정식 명칭. 최근 네일아트가 인기를 누리며 손을 장식하는 것에 대한 관심이 고조되면서 등장.'

피팅룸에서 옷을 갈아입고 있던 민호는 오전의 대부분을 패션 용어와 함께한 까닭에 저절로 기억이 떠올라 즉시 이해했다.

민호가 문을 열고 나오자 이나은의 핸드캠이 그를 향했다.

"와우! 민호 씨, 센스가 진짜."

이나은이 가까이 다가와 물었다.

"포인트를 직접 설명해 주시겠어요?"

"플레이드 패턴 체크가 돋보이는 재킷을 매칭해 봤어요."

미란다와 함께한 독특한 경험 덕분에 그날 머릿속으로 상상했던 다른 이의 패션을 연출해 보는 것은 어렵지 않았다.

저절로 옷이 벗겨지고 그 사람의 분위기와 맞는 스타일링으로 재조합되는 광경을 수도 없이 목격했으니까. 다만 미란다는 아예 옷 자체를 그녀만의 관점으로 재창조한 반면 민호는 그와 비슷한 풍의 옷을 골라볼 수밖에 없었다.

그럼에도 이나은이 감탄하는 것을 보면, 업계 톱디자이너의 센스란 것은 저 먼 어딘가에 다다른 수준임은 분명했다.

9월이 머지않았고, 촬영한 화보가 본격적으로 돌아다닐 시기라 패션관련 방송에서 돋보이는 건 필수 요소였다. 때문에 민호는 촬영 시간 내내 최선을 다해 임했다.

그렇게 오후 1시에 시작된 촬영은 5시가 넘어서야 종료됐다.

"남다른 스타일과 패션 감각. 느낌 있는 남자 강민호 씨와 함께했습니다."

MC의 멘트에 민호는 카메라를 보며 손을 흔들었다.

"만나서 반가웠어요, 패션 라이브 시청자 여러분~"

민호가 밴에 올라타자 김 코디가 시원한 음료수 캔을 건넸다.

"고생하셨어요, 민호 형."

"땡큐."

운전석의 공 매니저가 고개를 돌리며 말했다.

"아침에 말씀드리지 못했는데, 임 사장님께서 새 사업 계획을 하나 말씀하셨습니다."

"새 사업이요?"

공 매니저가 언급한 것을 보면 자신과 관련 있을 것이 분명하기에 민호의 귀가 쫑긋했다.

"HY뮤직과 협업으로 레이블을 하나 만드실 계획인가 봅니다. 요즘은 뮤지션의 색깔을 더 중요시해서 일부러 회사를 분리하기도 하거든요. 아무튼 이 레이블의 첫 가수로 윤이설 씨가 선택됐습니다."

"이설이는 제가 프로듀싱 맡겠다고 얘기 끝났잖아요."

공 매니저는 당연하다는 듯 고개를 끄덕였다.

"그건 신경 쓰지 말고 민호 씨가 본래 계획했던 데로 자유롭게 진행하면 된다고 하셨습니다. 다만 1호 가수가 윤이설 씨고 책임 프로듀서가 민호 씨다 보니, 편의상 레이블 대표는 민호 씨로 하는 편이 좋겠다고 하셨습니다."

"네에?"

민호는 눈을 휘둥그레 떴다.

"무슨 대표를 초짜가 해요."

"아직 확정된 가수가 윤이설 씨뿐이니까요. 민호 씨는 HY

에서 전속 프로듀서로 데려가고 싶어 할 만큼 능력을 입증했습니다. 자신감을 가지세요."

"그렇다고 해도……."

공 매니저는 임소희에게 주의를 단단히 들었기에 얼른 말을 이었다.

"참, 레이블에 대한 지원은 빵빵하게 준비되어 있습니다. KG엔터의 인맥으로 업계 최고의 연주자들을 섭외해 앨범 작업을 도울 수 있죠. 그리고 레이블의 두 번째 가수는 이상건 씨를 염두에 두고 있는 듯합니다."

"상건이 형도요?"

"임 사장님께서는 업계 최고의 대우로 영입하실 생각이셨습니다. 혹, 민호 씨가 연락이 가능하다면 레이블 대표의 이름으로 직접 영입하셔도 됩니다."

"그럼 혹시, 사계절 형님들도 연주자로 초대할 수 있어요?"

"당연하죠. 대표가 원하는 건데."

왠지 재밌어질 것 같은 느낌에 민호의 표정이 밝아졌다.

"레이블 관련해서 사장님께 뭐라고 보고 드릴까요?"

"일단은 이름뿐인 거잖아요. 소속 가수 늘어나면 바뀔 테고. 하죠 뭐."

공 매니저는 '됐어' 하는 표정과 함께 속으로 안도의 한숨을 내쉬었다.

"스케줄 끝났으니 집으로 가시면 되죠?"

시동을 건 공 매니저를 향해 민호는 고개를 흔들었다.

"잠시만요. 전 홍대 쪽에 내려주세요."

"홍대요?"

민호는 Once에 들어서며 오면서 검색해 본 레이블에 관련된 정보를 떠올렸다.

음반 제작을 하는 회사임에도 따로 레이블을 만드는 목적은 다양하지만, 그중에 가장 큰 이유는 색깔을 유지하기 위함이었다.

브랜드의 파워라고 해야 할까? 윤이설이 1호라는 것은 그만큼 그녀의 가능성을 높게 점친다는 것이고, 더불어 자신의 어깨도 무거워졌다는 것을 의미했다.

그러나 민호는 무거워진 어깨만큼이나 기대감을 가득 안고 Once의 문을 열었다. 언제나 아담한 카페의 전경이 눈에 들어왔다.

"민호야."

"상건이 형!"

민호는 이상건이 앉아 있는 칵테일 바 앞으로 한달음에 걸어갔다.

"갑자기 연락했는데 먼저 오셨네요."

"나야 근처에서 살다시피 하니까. 아참, 그리고……."

이상건은 부끄러운 듯 고개를 살짝 숙이며 말했다.

"나 프러포즈 성공했다. 가을에 날짜 잡았어."

"진짜요? 와! 축하해요."

"고정 라디오도 반응이 좋고. 요즘 같아선 너무 행복해서 불안할 지경이야."

"형 노래 좋으니까 더 잘될 거예요."

이상건이 웃자 민호도 덩달아 흐뭇하게 웃었다. 음료를 주문하고 이상건이 물었다.

"왜 보자고 한 거야?"

"이설이 앨범을 프로듀싱하기로 했는데 아는 뮤지션이 사계절 형님들뿐이라. 다른 연주자 섭외할 때 저 좀 도와주실 수 있어요?"

"그거야 문제없지. 이설이 앨범이라면 참여하고 싶어서 줄을 설 거야."

Once의 힘으로 벌어지는 환상 속 이미지에 적합한 뮤지션은 이 카페 출입을 자주 하는 연주자들이었다. 때문에 민호는 인디의 실력파들과 잘 알고 있는 이상건이 돕겠다고 하자 든든해졌다.

"그리고 형 소속사 없으면 저희 회사에 와요. 임소희 사장님이 업계 최고의 대우를 해준데요."

"그건 말이야……."

계속 웃는 표정이었던 이상건이 자못 심각해진 표정으로 말했다.

"민호야. 아무리 네 부탁이라고 해도 거절해야겠어. 인디 주제에 라는 말을 할지 모르겠지만, 대형 기획사에 들어가면 내가 하고 싶은 음악을 못 할 거 같거든. 제의는 고마운데……."

"맞다!"

민호는 깜박하고 얘기하지 못한 것을 말했다.

"KG엔터에서 독립된 레이블을 하나 만들어요. 이설이도 HY랑 협의해서 이곳 소속이 됐고요. 일단은 대표가 저라서 형이 이곳으로 오면 원하는 음악 마음대로 할 수 있을 거예요."

"민호 네가 대표로 있는 레이블이라고?"

이상건의 놀란 표정에 민호는 멋쩍게 웃었다.

"저랑 이설이뿐이니까요. 사계절 형님들에게도 말해볼 생각이긴 하지만, 워낙 소속되는 거 싫어하시는 분들이라 잘될진 모르겠어요."

"레이블 이름이 뭔데?"

"이름이요?"

민호는 공 매니저에게 그것을 듣지 못해 얼른 문자를 날렸다. 바로 날아온 답장에는 '대표가 민호 씨니 원하는 대로 정하셔도 됩니다'라는 글귀가 적혀 있었다.

"으잉? 저보고 정하라는데요?"

"뭐?"

"이상하다. 다 되어 있던 거 아닌가?"

이상건은 천연덕스러운 민호의 반문에 피식 웃고 말았다. KG라는 대형 기획사는 별로지만, 민호가 대표로 있는 레이블은 끌렸다. 보이는 라디오에서 동영상 대박 이후 수많은 기획사에서 러브콜이 왔었지만 소신을 갖고 꿋꿋이 거절해 왔다. 그러나 민호의 저 자연스러운 미소에는 마음이 열리지 않을 수가 없었다.

"레이블 이름이 마음에 들면 하지 뭐."

"진짜요?"

민호는 팔짱을 끼고 생각에 잠겼다. 윤이설에 이상건에 사계절 형님들까지. 뭔가 대단한 동료들이 모집되는 느낌이었다.

"원피스."

"그건 어디서 들어본 것 같은데? 만화 제목 아니야?"

"그럼 스타피스(Star piece)."

"별의 조각이라. 흠."

이상건이 민호에게 손을 내밀었다.

"나쁘지 않네. 좋아. 계약하자."

Normal space : 오래전에 망한 봉제공장의 일부분.

Effect : 80년대식 최신 유행의 여성 속옷을 만들 수 있다. 단, 구식 재봉틀이 필요하다.

22.
손맛

《첫방 '더 스마트 게임' 시청자들의 기대 속에 순항》

[연예가오늘] NTV의 게임 서바이벌 예능이 첫 회부터 최고 시청률 4.8%(케이블, 위성, IPTV 통합기준)를 기록했다. 남자 10대와 30대, 여자 20대에서는 동시간대 시청률 1위를 차지하는 등 금요일 예능의 새로운 다크호스로 떠올랐다.

이날 메인매치 '영향력 게임'에서 프로게이머 강민호와 프로도박사 백민수의 능숙한 플레이로 변호사 하비 박이 탈락 후보에 선정되는 모습이 그려졌다. 하비 박은 내내 함께했던 차혜주를 데스매치 상대자로 지목했고, '인디언 포커'게임 끝에 차혜주를 최종 탈락시켰다.

단순한 게임이 아니라 사회의 축소판처럼 보이는 배신과 의리,

예측불허의 결말로 심리예능의 진수를 선보였다는 평이다.

온라인에서의 반응도 뜨거웠다. 방송 전후로 '더 스마트 게임'을 비롯한 플레이어들의 이름이 주요 포털 사이트의 실시간 검색어를 점령했다. 또 각종 커뮤니티에 게임 내용을 분석하는 글이 빠르게 올라오는 등 폭발적인 관심을 반영했다.

방송 후 진행 중인 투표에서는 재기 발랄한 게임플레이를 보인 강민호와 탈락 직전까지 참가자들을 긴장시켰던 하비 박이 각축을 벌이고 있으며, 그 이하로 장동묵, 진큐, 백민수 등이 순위권을 차지하고 있다.

최문호 기자 news@daily.org

주말 토크쇼 스케줄을 위해 이동 중이던 민호는 기사를 살피다가 공 매니저에게 물었다.

"시청률이 4.8%면 어느 정도 수준인 거죠?"

"케이블에서는 완전 대박입니다. 요즘은 케이블 보급률이 올라서 정확한 계산은 안 되지만 예전에는 1%만 나와도 성공했다고 말할 정도였습니다. 아무튼 파일럿이 대박 친 예능은 근래에 이게 처음일 겁니다."

민호는 휴대폰의 인터넷 창을 열어 한창 평점투표가 진행 중인 NTV의 사이트로 이동했다.

ㅡ강민호 21.3%, 하비 박 19.7%, 장동묵 17.1%, 진큐 8.6%, 백민수

6.2%…….

자신이 득표수 1위를 달리고 있는 건 기분 좋은 일이었으나 그 아래의 순위는 의외였다. 게임 내내 신사적으로 플레이한 백민수보다 계속 당하기만 했던 진큐가 더 높다니.

"저도 어제 본방 사수했는데 정말 재밌었어요. 장동묵 진짜 웃기고, 진큐는 민호 형한테 자꾸 당하니까 귀엽더라고요."

뒷좌석의 김 코디가 웃으며 말했다.

"귀여워?"

민호는 안정적인 플레이보다 인상적인 장면을 보여주는 것이 낫다는 결과에 수긍하면서도 한편으론 기대하게 됐다. 꼴찌였던 하비 박이 2위에 오른 것은 판을 주도하는 그의 과감성을 시청자들이 그만큼 좋아했다는 방증이니까.

"토크쇼 끝나면 이번 주 스케줄도 마무리되는군요. 이번 한 주도 고생하셨습니다, 민호 씨."

백미러에 비친 공 매니저의 표정은 개운해 보였다. 민호는 스케줄 이야기가 나온 김에 말했다.

"다음 주는 4강이 있으니 너무 빡빡하지 않았으면 좋겠어요."

"고정과 광고 촬영을 제외한 나머지는 최대한 그다음 주로 조정해 놓겠습니다."

"아, 이설이 프로듀싱 스케줄은 그대로 둬 주세요. 상건이 형이랑 사계절 형님들하고 약속을 잡아놨으니까요."

"알겠습니다, 대표님."

"에이, 저 임시 대표잖아요. 누가 들으면 오해해요."

"아, 그렇죠~ 그럼 당분간은 레이블 일 관련해서는 책임 프로듀서님이라 호칭하겠습니다."

공 매니저는 의미불명의 미소를 지으며 운전에 집중했다.

민호는 며칠 전 정식 출범한 KG엔터 산하 레이블 '스타피스'의 임시 대표로서, 막중한 책임까지는 아니더라도 어느 정도의 부담감은 느끼고 있었다.

'상건이 형도 있고, Once도 있고. 잘되겠지. 게다가……'

인디 뮤지션들을 더 만나다 보면 악기 애장품을 발견할 가능성도 커질 것이다. 이상건과 윤이설만 봐도 악기에 애정을 듬뿍 쏟고 있었으니까.

KBC '토크 투게더' 출연진 대기실 앞.

박진석은 문에 붙은 출연진들의 이름을 훑어보며 흐뭇한 표정을 지었다. 주연 3인방 바로 옆에 자신의 이름도 떡하니 쓰여 있던 것이다.

조연이 드라마 홍보를 위한 토크쇼 메인 패널로 나온다는 건, PD도 가능성을 인정했다는 소리였다. 소속사 AT엔터의 입김이 아주 조금 들어가긴 했겠지만 말이다.

"어라? 박진석 씨네요? 안녕하세요."

박진석은 막 대기실 복도에 들어선 한 청년을 발견하고 표정이 살짝 굳어졌다. 2달 전, 예능 '청춘일지'를 함께했던 신인.

'강민호…….'

인기 예능에 밀어 넣어 줬더니 신인을 상대로 변변찮은 존재감을 보였다고 회사에서 얼마나 까였는지. 지금도 앙금이 가시질 않았다.

"네가 왜 여기에 있어?"

"은하 씨 지인으로 코너 하나 출연할 예정이거든요."

"친구매점?"

"네, 그거요."

대기실 안쪽을 둘러본 민호가 물었다.

"혹시 은하 씨 보셨어요? 촬영장에서 좀 늦게 떠났다고 하던데."

"글쎄."

'친한 척은.'

박진석은 속으로 코웃음을 쳤다.

드라마 촬영은 5일째인데 말조차 못 붙여본 서은하의 지인이라니. 오소라 때와 마찬가지로 소속사에서 밀어주기 위해 나왔을 것이 뻔하다는 생각에 곱지 않은 시선을 보냈다.

이럴 줄 알았으면 자신도 아이돌을 부르는 건데. 대기실에서 웃고 있는 모델 친구가 괜스레 미워졌다.

"요즘 잘나가는 것 같던데? 좋겠어."

생각 같아선 확 쏘아붙이고 싶지만, 방송관계자들의 눈도 있고 해서 조용히 빈정거렸다.

"잘나가긴요."

민호는 박진석의 말에 웃을 뿐 그다지 발끈하지 않았다. 맞받아치면 한차례 투닥거리고 싶었던 박진석은 뒤이어진 민호의 말에 울화통이 터지는 것을 느껴야 했다.

"근데 진석 씨는 역할이 뭐예요? 토크쇼 나올 정도면 주연인 거죠? 은하 씨는 무슨 천재 테니스 소녀 역할이라던데."

주연 3명 중, 대표이사로 나오는 이의 비서 역할. 주조연급이라 우기기에는 많이 모자라는 조연이었다.

"민호 씨!"

복도 끝에서 막 올라온 서은하의 목소리가 들려오자 민호가 고개를 돌렸다.

"그럼, 이따가 봬요."

민호가 고개 숙여 인사했다. 서은하의 대기실로 들어가는 민호를 보며 박진석은 '후' 하고 한숨을 내쉬었다.

'그래, 좀 이따 보자고.'

출연진들의 요리 솜씨를 뽐내고, 매력을 어필할 수 있는 토크 투게더의 간판 코너, 친구매점. 오늘은 확실히 준비해 왔다.

'이번만큼은 내 존재감을 마구 뿌려주마.'

"많이 기다렸어요?"

서은하는 테니스 라켓이 든 가방을 내려놓고 의자에 앉았다.

민호는 드라마 속 여주인공이 그대로 튀어나온 듯한 그녀의 모습에 정신이 팔려 있었다. 하늘거리는 원피스에 질끈 묶어 뒤로 넘긴 생머리. 활동적인 복장임에도 단아함이 느껴졌다.

"민호 씨……?"

서은하의 시선을 마주한 민호는 퍼뜩 정신을 차렸다.

"아뇨. 지금 왔어요."

민호는 테니스 가방을 가리키며 물었다.

"은하 씨, 테니스는 원래 할 줄 알았어요?"

"아빠 따라서 조금 배웠죠. 오디션에서 그게 도움이 됐고요. 물론, 민호 씨가 머리 귀엽게 해준 것도 도움 됐어요."

"뭘요."

'헤헤' 하고 웃던 민호는 오늘 돌려주기로 한 손목 보호구를 꺼냈다. 스케줄이 치여 많이 사용해 보지는 못했으나, 어제 가람 조단과의 일대일 농구대결에서 20:1의 점수를 기록하는 것으로 아쉬움을 달랬다.

"이거 잘 썼어요. 은하 씨."

"뭘요~"

활짝 웃는 서은하를 보며 민호도 덩달아 웃었다.

서은하가 손목 보호구를 넣기 위해 테니스 가방을 열었다. 민호는 안에 들어 있는 라켓에 은은한 빛이 어려 있는 것을 보고 혹시나 해서 물었다.

"은하 씨. 그 라켓⋯⋯."

"이거요? 역시 민호 씨는 바로 아는구나. 아빠 방에 있던 거 가져왔어요. 종종 쓰던 거라 손에 익어서. 근데 막상 촬영 때는 협찬사 거를 써야 하더라고요."

민호는 입이 근질거렸으나 만져보자는 말을 쉽게 꺼내지 못했다. 벌써 두 번째. 또 이야기를 꺼내면 서은하도 이상하게 여길지 모른다는 생각에서였다.

"민호 씨, 한번 구경해 보실래요?"

"네? 그래도 돼요?"

"그럼요. 후후."

민호의 호기심 어린 기색을 단박에 알아챈 서은하의 입가에 미소가 번졌다.

"자요."

대기실의 창문으로 내리쬐는 한낮의 햇살은 비교조차 되지 않을 만큼 밝은 웃음에 민호는 잠시 눈을 떼지 못했다.

라켓을 손에 쥐자마자 민호는 알았다. 이건 프로 테니스 선수의 라켓이다.

'촬영 끝나고 한번 쳐볼까?'

사우나처럼 꾸며진 세트장 안에 목욕가운을 입은 출연진들이 하나둘 자리에 앉았다. 정면에 MC 두 사람, 왼편에 패널 네 사람이 앉아 있는 구도로 메인 카메라가 초점을 잡았다.

FD가 슬레이트를 들고 앞에 섰다.

"하나, 둘……."

[8월 9일 3시 01분. 테이크 1-1]

슬레이트가 착! 하고 닫히자 수십 대의 카메라에 일제히 붉은 등이 들어왔다.

"함께하면 더욱 행복한 토크 투게더!"

MC 유재돌의 외침과 함께 녹화가 시작됐다.

"오늘 토크 투게더를 빛내주실 초특급 게스트 여러분을 소개하겠습니다. 지진호 씨, 안이현 씨, 서은하 씨, 박진석 씨!"

효과음도 배경음도 없었으나 목소리 하나만으로 오프닝부터 활기찬 느낌을 들게 하는 유재돌은 따뜻함과 능청을 넘나드는 유쾌한 진행으로 롱런 중인 예능계의 레전드 MC였다.

"오늘 오신 분들. 굉장히 화려합니다. 예능에서는 쉽게 만나볼 수 없는 배우들이죠."

예능이 익숙지 않아 보이는 패널 네 사람이 살짝 굳어진 채로 고개를 숙여 인사했다. 유재돌은 분위기가 딱딱함을 눈치채고 곧바로 말을 이었다.

"그러고 보니 우리 하명수 씨는 대기실에서 걱정을 좀 하셨어요. 나오시는 분들이 화려하긴 한데 재미는 큰일 났다고."

옆에 있던 MC 하명수의 눈이 커졌다.

"야, 너도 공감했잖아."

"하명수 씨가 오늘은 정신 바짝 차려야겠다고……."

"오해입니다. 오해야."

하명수가 특유의 우스꽝스러운 표정을 지으며 카메라를 직시했다. 서은하는 그것을 보고 빵 터져 입을 가리고 웃었다.

유재돌이 웃으며 말했다.

"큰일 날 재미를 하명수 씨가 얼굴로 책임져 주고 계시네요."

유재돌과는 정반대의 성격으로 감초 같은 역할을 주로 하는 하명수와의 콤비 토크는 이 프로의 백미였다. 두 사람의 멘트에 분위기는 굳어질 새도 없이 풀렸다.

유재돌이 패널을 쭉 살피다 물었다.

"서은하 씨."

"네?"

아직도 까르르 웃고 있던 서은하가 갑작스러운 부름에 긴장해서 유재돌을 바라봤다.

"반가워요."

"아……."

"예쁘다 예쁘다 말만 들었지, 실제로 보니 정말 미인이시네요."

"감사해요."

드라마 촬영장에서 곧바로 온, 풀 메이크업의 서은하는 유재돌의 말마따나 가만히 앉아 있음에도 홍일점의 매력을 한껏 발산 중이었다.

유재돌은 카메라 옆에 앉은 작가의 신호에 드라마 이야기로 넘어갔다.

"서은하 씨 얘기를 들어보니까 테니스 선수가 되셨다던

데요?"

"네. '사계절의 행운'이라고, 전 국민의 사랑을 받게 되는 스포츠 스타를 그린 드라마에서 테니스 선수 역할을 맡게 됐어요."

홍보 본능이 발동된 서은하는 언제 긴장했느냐는 듯 똑 부러지게 말을 끝냈다. 예능 캐릭터로 살릴 만한 기미를 느낀 유재돌이 서은하에게 물었다.

"전 국민의 사랑! 그렇다면 서은하 씨의 사랑은 지금 어디에 있나요? 이걸 보고 계신 모든 남성 시청자의 가슴은 두근두근 뛰고 있을 겁니다."

"아유, 요깃네. 감사합니다."

하명수가 기다렸다는 듯 손으로 하트를 그리며 유재돌의 말을 받았다.

"아쉽게도 제 사랑은 여기 두 분 중 하나가 될 거예요."

자연스레 남자 주연 두 사람에게 토크를 넘기는 기술에 유재돌은 눈썹을 위로 올리며 감탄했다는 표정을 지었다. 보통 하명수와 콤비로 몰아붙이면 당황하거나 수줍어하는 것이 일반적이었다. 그러나 서은하는 유재돌의 기대대로 센스가 있었다.

오늘 방송의 포인트는 이것.

유재돌은 시작 3분 만에 방향을 정하고 진행을 이어 나갔다.

"서은하 씨의 사랑이 향할 안이현 씨와 지진호 씨는 어떤 역할을 맡으셨죠? 아, 박진석 씨는 아니에요? 저런."

드라마 홍보를 위한 일상적인 토크가 끝나고, 본격적인 심층 토크가 시작됐다.

한 시간여가 삽시간에 흘렀다.

대부분 주연에게 집중된 토크였기에 끼어들 여지가 없었던 박진석은 드디어 기다렸던 코너가 호명되자 표정이 밝아졌다.

따끈한 우동 국물에 얼큰한 오돌뼈를 판매할 것만 같은 아담한 분위기의 세트장. 실내 포장마차처럼 꾸며진 안쪽에서 향긋한 음식 냄새가 솔솔 풍겨왔다.

민호는 출연 순서를 기다리며 꾸르륵거리는 배를 어루만지는 중이었다. 저녁 시간이 다 되다 보니 무척 배가 고팠다.

"강민호 씨. 지금 들어가시면 돼요."

PD의 신호에 민호는 문을 열었다.

먼저 눈에 들어온 건 무언가를 열심히 볶고 있는 서은하의 모습이었다. 그리고 그 옆에는 접시 위의 음식을 화려하게 데코레이션 중인 박진석의 모습도 있었다.

"민호 씨, 어서 와요!"

뺨에 밀가루를 묻힌 채로 손을 흔드는 서은하에게 민호는 살짝 고개를 숙여 보였다. 그녀가 만들어준 음식을 맛있게 먹고 가기만 하면 되는 매우 간단한 스케줄.

그러나 민호는 식탁 옆에 앉자마자 조리대 한곳에 시선이 고정되었다. 잘 달구어진 무쇠 냄비에서 은은한 빛이 나오고 있던 것이다.

'누구 애장품이지?'

민호는 요리 중인 네 사람을 살폈다.

대형 가스레인지가 위치한 공용 조리대를 기준으로 안이현은 피자를, 지진호는 칼국수와 부침을, 서은하는 볶음요리를 준비하고 있었다. 아무래도 중국집에서 볼 법한 크기의 냄비다 보니 저 요리들에 사용할 것 같진 않았다.

민호의 시선은 자연히 하나 남은 박진석을 향했다.

웨이트로 단련된 우람한 팔뚝으로 당근을 손질 중인 박진석을 본 민호는 "오!" 하고 감탄했다. 칼놀림이 예사롭지 않았던 것이다.

최면에 걸린 것처럼 민호의 발걸음이 박진석의 조리대로 향했다.

"룰루~"

박진석은 얇게 썬 당근 조각으로 멋진 꽃잎을 만들며 미소 지었다. 친구매점 시작 전, 요리하는 모습을 자유롭게 촬영하는 과정임에도 메인 카메라 여러 대가 자신만 비추고 있었다.

"우와, 진석 씨. 탕수육 하시는 거죠? 맛있겠다, 흐~"

언제 다가왔는지 조리대 옆에 바짝 서서 입맛을 다시는 민호의 칭찬에 박진석은 내심 어깨에 힘이 들어가 '훗' 하고 턱을 슬쩍 치켜들었다.

"민호 씨 녹두전만 하겠어? 실검에도 오른 맛인데."

"에이, 그때는 황 어르신 댁 재료가 좋아서 그리된 거였고요."

민호는 가스레인지 위에 올라 있는 무쇠 냄비를 가리켰다.

"저거 진석 씨 것 맞죠?"

박진석은 고개를 끄덕였다.

"싸부님께 특별히 빌려 왔지."

"사부님이요?"

무척 궁금하다는 듯한 민호의 눈길에 박진석은 귀찮다는 듯 손을 저었다. 한식 요리사 자격증을 들고 출연했던 청춘일지에서 한 방 먹은 뒤, 소속사에서 새롭게 모셔온 중식계의 대가 왕경래 셰프. 중국 쪽 예능 진출을 도모하고자 하는 포섭도 깔린 터라 요즘 한창 그에게 배우고 있었다.

"진석 씨 게 아니었구나."

민호는 초롱초롱한 눈초리로 무쇠 냄비를 살피다 갑자기

들려온 '치이익!' 하는 소음에 고개를 돌렸다.

"어맛."

서은하의 조리대 쪽에서 연기가 솟아올랐다. 모두의 시선이 집중되자 얼른 프라이팬의 뚜껑을 닫아버리는 그녀. 그 와중에 놀란 민호와 눈이 마주쳤다.

"헤헤."

그녀는 웃음과 함께 아무것도 아니라는 표정을 지었다. 박진석은 혀를 끌끌 차며 말했다.

"얼어 있는 걸 기름에 그대로 올리니 그렇지."

"그래요?"

"저러다 손 다쳐."

그럼 큰일이라는 생각에 민호는 얼른 서은하에게 다가갔다. 보아하니 꽝꽝 얼어 있던 밥 덩어리를 녹이던 과정에서 벌어진 일 같았다.

"은하 씨. 괜찮아요?"

"그럼요, 좀만 기다려요. 낙지볶음 맛있게 해줄게요."

허둥지둥 어지럽혀져 있던 조리대를 정리하는 서은하의 손등에는 기름이 튀어 붉게 변한 자국이 나 있었다. 피부가 워낙 하얀 탓에 조명 아래 더욱 도드라졌다.

"좀 도와줄까요?"

"아뇨, 그러면 대접하는 게 아니죠."

서은하는 데인 곳이 아프지도 않은지 재료 다듬기에 열중했다.

민호는 조리대를 훑어보았다.

한쪽에는 다듬다 만 야채가, 한쪽에는 깨끗한 물에 담겨 있는 낙지가, 그 가운데에는 만들다가 만 소스가 덩그러니 놓여 있었다.

"민호 씨는 가서 편하게 기다려요."

이렇게 말한 뒤 요리 순서가 적혀 있는 메모지를 차근차근 살피기 시작한 서은하. 그러고 보니 정신없이 늘어서 있는 조리대 위의 재료 모두 양만큼은 정확히 계량된 상태였다.

민호는 비록 요리 솜씨는 서툴지만, 서은하의 정성이 느껴져 흐뭇하게 웃었다.

"아……."

볶음밥의 뚜껑을 슬며시 열어본 서은하가 나직이 한숨을 내뱉었다. 민호는 살짝 탄 냄새가 올라오는 것을 느끼고 다시 그녀의 손에 시선이 머물렀다.

'가만 놔두면 오늘 내로 못 만들겠어.'

저 프라이팬에서 익고 있는 건 낙지볶음에 곁들여 먹을 볶음밥 같아 보였다. 사이드 메뉴에 신경 쓰다 정작 낙지볶음을 하지 못하면 그것도 낭패.

"은하 씨."

"네?"

"잠깐만 있어 봐요."

민호는 박진석에게 다가가 물었다.

"혹시 저 무쇠 냄비 잠시 사용할 수 있을까요?"

"뭐하게?"

"은하 씨 볶음밥이 타서 얼른 다시 만들어야 할 것 같아서요."

"민호 씨가 웍을 다룰 수 있다고?"

민호는 은은한 빛에 휘감겨 자신을 유혹 중인 무쇠 냄비에 시선이 머물렀다.

"조금은요."

박진석은 서은하를 흘깃 바라보더니 말했다.

"탕수육 소스 볶는 건 마지막이니까 15분 정도는 써도 돼."

"진짜요?"

"그리고 민호 씨. 맛이 좀 비교가 돼야 겨뤄볼 만하지. 서은하 씨 불안불안한데 그냥 그쪽이 다 만들면 안 돼?"

"그건 이 코너 콘셉트랑 안 맞잖아요."

"저기 지진호 씨는 여자 친구가 다 하잖아. 맛이 중요한 거지. 맛."

지인으로 공개 연애 중인 여자 친구를 부른 지진호는 칼국수 면발 반죽만 열심히 밀뿐이었다. 국물부터 야채 손질은 여자 친구가 도맡아 하고 있었다.

민호는 그럼에도 고개를 저었다.

"메인 요리는 서은하 씨가 해야죠."

맛보다 정성. 서은하의 메인요리는 건드려선 안 된다는 생각이…….

민호는 서은하가 설탕과 소금을 두고 고민하는 광경에 헛기침했다. 방금 목격한 요리 순서가 적힌 메모지 그 어느 곳에도 소금이란 재료는 존재하지 않았다.

"마, 맛보다는 정성이죠. 아무튼, 고마워요."

서은하에게 돌아온 민호가 말했다.

"볶음밥은 제가 할게요. 밥 남은 거랑 야채 남은 거 있죠?"

"민호 씨가요? 그래도, 이건…….."

"숙소에서도 후배들이랑 자주 해먹는 거라 금방 해요. 은하 씨는 메인요리에만 집중해요."

시간을 가리켜 보이는 민호. 서은하는 미안하다는 표정으로 고개를 끄덕였다.

'자, 그럼 어디!'

민호는 둥그런 무쇠 냄비 앞에 섰다.

중국 요릿집에서 흔하게 볼 수 있는 크고 두꺼운 이 냄비는 웍(wok)이라 불리는 물건으로 요리사 자격증이 있는 박진석이 사부라 부를 만큼 대단한 요리 실력자의 애장품이었다.

잔뜩 기대감을 안은 채로 웍에 손을 댔다.

빠르게 스쳐 지나가는 요리의 이미지. 대부분이 불과 함께 하는 중국요리들이었다.

"오오."

그중에 볶음밥도 존재했다.

가스 불의 화력을 최고로 올리고 한 손으로 조절하기 어려운 웍을 척하니 올려 온도를 맞췄다.

요리는 일사천리로 진행됐다.

웍에 기름을 두르고. 밥과 계란, 준비한 채소가 순차적으로 투입됐다. 소금까지 뿌려 골고루 뒤섞자 불꽃이 화려하게 솟아올랐다.

쓱싹쓱싹.

치이익~

중화요리의 핵심은 바로 불의 다루는 손맛. 웍이 일으키는 이 숨결을 감각적으로 조절하는 것이다.

이 웍의 주인은 강한 화력으로 기름을 불태워 밥을 한 알 한 알 코팅하듯 볶는 것이 일품 볶음밥임을 강조하고 있었다.

단시간에 조리해 재료 본연의 맛을 살리고 담백하고 꼬들꼬들함을 살리는 것. 민호는 그것을 위해 웍을 이리저리 움직여 섞는 작업을 반복했다. 3분 요리도 아닌데 뚝딱 요리된 계란 볶음밥을 접시에 담았다.

"흐음~"

고소한 풍미를 담은 냄새가 식욕을 자극해 왔다.

박진석의 지인, 모델 김훈표는 깔끔하게 다듬어져 정리된 야채들을 보며 감탄했다.

"당근 꽃에 오이 인형이라니. 진석이 너 완전 셰프네, 셰프. 배우 하지 말고 요리나 해라."

"나중에 부업은 생각 중이다."

김훈표는 냄비에서 보글보글 끓고 있는 소스 위로 손을 휘저었다.

"스멜~ 냄새만 맡았는데 침이 꼴깍 넘어가."

"훈표, 너 부먹이냐 찍먹이냐?"

중국집에 탕수육을 시켜 먹는 사람 대다수가 하는 고민. 김훈표는 턱을 긁적이다 손가락 두 개를 들어 보였다.

"난 둘 다!"

"오케이."

출연진 모두 각자의 음식에 열중하고 있는 가운데 공용 조리대의 가스레인지에서 갑작스러운 불길이 일었다.

"뭐야 저거?"

김훈표는 시선을 확 사로잡는 광경에 놀랐다. 돼지고기에 전분 가루를 묻히고 있던 박진석도 고개를 돌렸다. 그리고 민호가 하는 짓을 보며 눈이 휘둥그레졌다.

불꽃이 휘감긴 웍을 리드미컬하게 튕긴 뒤 내려놓는 일련의 과정. 사부가 그렇게 강조한 비법, '화심(火心)을 알아야 요리가 산다'가 민호의 손끝에서 고스란히 피어오르는 중이었다.

격이 다른 수준.

저 불 다루는 솜씨로 낙지볶음에 손을 대면 양념 배합이 별로더라도 기깔나는 맛을 낼 수 있을 것이다.

"서은하 씨 친구 대박인데? 중국집하다 왔나?"

박진석은 한쪽에서 끓고 있는 기름 솥에 시선을 던졌다.

'탕수육으로 이길 수 있을까?'

"다 됐어요."

민호는 접시를 서은하 옆에 내려놓았다. 서은하는 아무런 양념도 없이 볶아진 음식에서 뿜어져 나오는 '일품요리'의 진한 향기에 눈이 커졌다.

"민호 씨……."

절로 한 숟가락 떠먹고 싶은 비주얼이었다. 서은하는 감탄을 흘리며 생긋 미소 지었다.

"고마워요."

"손 다치지 않게 요리해요."

"네, 후후."

서은하는 심기일전해 낙지 손질을 시작했다.

민호는 불을 다루던 손맛의 여운에 잠겨 다시 공용 조리대로 걸어갔다. 율치리에서 만진 윤 여사님의 프라이팬이 푸짐한 가정식 요리를 즐기는 느낌이었다면, 이것은 좀 더 고차원적인 중화요리의 도(道)를 논하는 느낌이었다.

사용한 흔적을 닦아내기 위해 국자로 물을 퍼서 웍에 뿌렸다. 치익~ 하고 물 끓는 소리와 함께 남아 있던 밥알과 야채 조각들이 씻겨나갔다.

'아쉬워.'

뭔가 더 요리해 봤으면 싶던 민호의 시선이 한창 돼지고기 튀김을 준비 중인 박진석을 향했다.

'으익, 그럼 안 되지.'

방금까지 감탄한 박진석의 솜씨는 웍을 만지고 있는 지금 지적할 부분 천지인 실력으로 돌변했다.

민호는 웍을 내려놓고 박진석에게 걸어갔다.

"진석 씨, 잘 썰었어요."

박진석은 깨끗하게 정리되어 새롭게 달궈지고 있는 웍을 보며 혀를 찼다.

"말이 안 나오는군. 오늘 메인 게스트였으면 완전 뒤통수

맞을 뻔했어. 뭐? 녹두전이 재료 탓이야?"

민호는 멋쩍게 웃었다.

"저 뭐 진짜 길이 잘 들어서 요리가 잘되는 느낌이에요."

"당연하지. 그래서 싸부한테 빌려 온 건데."

용건 끝났으면 가라는 듯 손을 휘휘 젓는 박진석에게 민호
는 조심스레 운을 뗐다.

"저거 고기 밑간은 잘하신 것 같은데 튀김옷이……."

"뭐?"

민호는 웍을 붙잡고 있었을 때 떠오른 완벽한 일품 탕수육
의 이미지를 생각하곤 반죽을 가리켰다.

"물에 불려서 가라앉은 전분가루만 쓴 거 아니죠?"

박진석은 민호의 질문에 사부에게 익혔던 레시피를 더듬
어 보고는 아차 하는 표정을 지었다. 바삭한 튀김 포인트를
주기 위해서라면 전분까지 세심하게 신경 써야 하는 건데.

민호는 괜찮다는 표정으로 말했다.

"아직 바삭함을 더할 방법은 있어요."

이 말에 박진석은 솔깃하지 않을 수가 없었다. 불을 그리
잘 다루니 중화요리에 능통해 있으리란 건 자명했기에 물
었다.

"뭔데?"

"2번 말고 3번 튀기는 거죠. 초벌구이하고 숨을 한번 고르

고, 체로 팡! 쳐서 공기 중에 수분을 날려 보내는 작업을 연속으로."

손짓으로 열심히 설명하는 민호를 보며 박진석은 반신반의한 표정이 됐다. 저 방법을 언젠가 사부에게 들었던 기억이 떠올랐다.

"서은하 씨 요리 맛없을 거 같아서 내 거 망치려는 거 아니야?"

"아뇨. 탕수육이 더 맛있어질 방법을 고민한 것뿐이에요."

박진석의 의심에 민호는 전혀 아니라는 듯 고개를 크게 저었다.

"그리고 소스에 들어갈 야채, 제가 볶아도 될까요?"

"민호 씨가?"

박진석은 정말 망치려는 건지 아닌지 한번 두고 보자는 생각에 고개를 끄덕였다. 야채 다듬는 거야 이력이 나 있고, 금방 할 수 있으니까.

"좋아."

"감사함다!"

민호는 얼굴 한가득 기쁨이 어려 야채가 담긴 보울을 들고 웍으로 달려갔다.

잠시 뒤, 한입 크기로 썰려 있는 야채들이 센 불에 재빨리 볶아졌다. 약하지도 과하지도 않은 불길이 일었다가 사라지며 야채에 불맛이 어렸다.

"지금 섞어야 맛이 살아요."

민호가 고개를 돌려 한쪽 냄비에서 온도 유지 중이던 소스를 가리켰다. 박진석은 불을 다루는 솜씨에 감탄한 나머지 그도 모르게 고개를 끄덕이고 말았다.

민호는 냄비에 있던 소스를 들고 가 웍에 넣더니 녹말을 넣어 걸쭉하게 농도를 맞췄다.

"여기요."

형형색색의 야채와 투명한 소스가 어우러진, 보기만 해도 새콤달콤한 맛이 느껴지는 결과물이 박진석의 눈앞에 나타났다.

"너, 대체……."

박진석이 갖춘 실력으론 쉽게 흉내 낼 수 없는 소스임에는 분명했다.

"진석 씨, 튀김이요."

박진석은 흠칫 놀라 체로 튀김을 건졌다. 초벌한 튀김을 탕, 쳐서 수분을 날려 보냈다.

"여기요."

민호가 옆에서 키친타월을 내밀었다.

박진석은 키친타월로 초벌 튀김 한 고기에 덮어 수분을 제

거하고 다시 튀겼다. 보글보글 끓는 소리와 함께 식욕을 자극하는 기름 향이 솔솔 풍겨왔다.

"좋아요, 좋아! 딱 좋게 튀겨지고 있어요."

민호의 감탄에 박진석도 히죽 웃다가 움찔 놀라 고개를 돌렸다. 얘는 왜 안 가고 옆에서 주방 보조처럼 서 있는 거지?

"왜 또?"

"다 튀겨지면 소스랑 볶잖아요. 그거 제가 해도 될까요?"

"그건 안 해."

"네? 왜요?"

박진석은 사부에게 본래 탕수육은 부어 먹느니 찍어 먹느니 구분이 있는 게 아니라, 소스와 튀김을 함께 볶아서 조리하는 것이라 들었다. 그러나 그러지 못하는 것은 섣불리 소스를 섞으면 눅눅해지기 때문이었다.

"이 정도로 잘 튀겨진 거면 소스 섞어도 아삭함이 유지될 거예요."

민호의 말에 박진석은 3중으로 튀겨지고 있는 기름 솥을 바라봤다. 확실히 잘 튀겨지긴 했다.

"너 왜 날 도와주는 거야?"

"맛있는 거 먹자는데 이유가 필요한가요?"

박진석은 식탁에 앉아 요리가 완성되길 기다리고 있는 친구, 김훈표를 바라봤다. 입에 침이 고이는지 연방 꿀덕 삼키는 것이 무척 요리를 기대하고 있었다.

막상 부딪혀 본 강민호는 청춘일지 때와 마찬가지로 행동을 종잡을 수가 없었다. 경운기를 몰질 않나, 녹두전 하나로 마을 잔치를 벌이질 않나, 퀴즈 잘 풀어 감자 캐기를 면제해 주었을 때는 진심으로 만세를 불렀었다.

어쨌든 욕심이 과해 자신을 해코지하고자 저러는 것은 아니라는 사실은 박진석도 느끼는 바.

"에라 모르겠다. 민호 씨, 그러면 튀김옷 안 죽게 잘 좀 볶아줘. 싸부도 놀랄 만큼 죽여주는 탕수육 한번 만들어 보자."

"출연자들의 음식 솜씨와 그걸 맛보는 지인들의 기쁨을 함께 볼 수 있는, 친구매점에 오신 것을 환영합니다!"

"기쁨일지 슬픔일지는 먹어봐야 압니다. 흐~!"

유재돌과 하명수의 활기찬 음성과 함께 코너가 시작됐다. 출연진 4명에 지인 4명이 식탁 옆에 둘러앉자 세트장 안이 꽉 들어찼다.

"첫 번째는 지진호 씨의 요리입니다."

포장마차 세트장의 외벽 구멍에서 박스 하나가 나왔다. 유재돌이 박스를 들고 식탁 위에 올려놓았다. 그리고 뚜껑을 열었다.

"칼국수! 김치전!"

감탄하며 냄새를 맡는 유재돌. 하명수가 접시 4개에 음식을 덜어 주었다.

민호는 무척 시장했던 터라 허겁지겁 면발을 넘기고, 시원하게 우려낸 국물을 들이켰다. 출연진은 나중에 먹을 수 있기에 보며 침만 꿀꺽 삼켰다.

지인들의 음식 평이 이어졌다.

"어머니의 맛. 딱 그거네요."

"면도 쫄깃해요."

"확실히 면발이 안 퍼지게 적당히 끓인 것 같아요."

평을 할 차례가 온 민호는 서은하와 눈이 마주쳤다. 솔직하게 말하라는 그녀의 눈짓에 민호는 엄지를 치켜 올렸다.

"면도 오동통해서 잘 씹히고 국물이 칼칼하니 끝내줘요."

다음 박스에는 안이현의 음식이 담겨 있었다. 고르곤 졸라 치즈가 사르르 녹아 있던 피자였으나 고소함 보다는 느끼함이 강했기에 지인들이 평이 좋진 않았다.

유재돌이 세 번째 박스를 올렸다.

"자, 다음은! 서은하 씨의 요리입니다. 낙지볶음과 계란 볶음밥!"

"아까 보니 얼굴에 가루 묻히고 있던데. 이건 가루 들어가는 요리 아니잖아요. 그 가루는 어디 간 거야?"

뒤이어진 하명수의 말에 서은하는 '응?' 하는 표정을 지었다. 그리고 옆의 민호에게 물었다.

"제가 그랬어요?"

자신도 모르게 나오는 웃음을 참으며 민호가 고개를 끄덕였다.

"그럼 말해 주지."

"미안요."

민호는 좌충우돌 요리하는 모습이 너무 예뻐 신경조차 쓰이지 않았다는 말은 차마 할 수가 없었다.

서은하의 음식이 접시에 나뉘어 담겼다.

처음으로 맛을 본 박진석의 지인, 김훈표가 눈을 휘둥그레 뜨며 MC들을 바라봤다.

"요리하는 거 봤을 때는 기대도 안 했는데. 이거 환상적인데요? 진석아. 너 백프로 졌다."

이어진 지인들의 평가도 호의적이었다.

민호는 계란 볶음밥 위에 낙지 다리 하나와 새빨간 양념장을 쓱쓱 비벼 한 움큼 떴다. 그리고 입에 넣었다.

설탕과 소금을 구분 못 하고, 어디에 쓰였는지 모를 밀가루의 비밀은 둘째 치고, 매콤하고 짭조름한 것이 무척 맛있었다.

"이거……."

민호는 자신의 소감을 잔뜩 기대 중인 서은하를 보며 피식 웃었다.

"정이 느껴지는 맛이네요."

민호의 소감에 서은하의 얼굴도 활짝 피었다. 서은하는 민호의 옷깃을 잡고 뺨이 맞닿을 정도로 고개를 돌려 작게 속삭였다.

"고마워요."

마지막 박스가 탁자 위에 올랐다.

"다음은 박진석 씨의 요리! 한식 자격증을 소유한 데다 요새는 중식까지 도전 중이라는데 정말 기대됩니다."

공개되자마자 모든 이들의 감탄이 세트장 안을 울렸다.

박진석의 탕수육.

투명한 소스가 코팅한 것마냥 얇게 입혀져 있는, 군침이 마구 흐르는 모습이었다.

"아우, 못 참아!"

내내 시식을 기다리고 있던 출연진 지진호가 젓가락을 번개처럼 놀려 탕수육 하나를 찍었다.

"반칙입니다. 꼴찌 하신 분은 못 먹어요!"

유재돌이 얼른 말렸으나 이미 지진호의 입으로 사라진 후였다.

탕수육을 입에 문 지진호는 말문이 막힌다는 듯 박진석을 바라보았다.

"야, 진석아. 우와……! 너 배우 하지 말고 그냥 요리사 해. 내 개인요리사라도."

"뭐 얼마나 맛있다고 오바입니까?"

하명수가 탕수육 하나를 집어 입에 물었다. 그리고 입이 떡 벌어졌다.

"나도!"

출연진 안이현도 한 조각 집어 들자 너 나 할 것 없이 하나씩 먹기 시작했다.

민호는 탕수육을 입에 물고 만족스러운 웃음을 지었다. 튀김옷의 바삭하고 쫀득한 식감에 소스의 감칠맛이 더해지자 입속에서 사르르 녹았다.

"우와, 진짜 맛있어요."

서은하도 감탄해 엄지를 치켜드는 데 주저하지 않았다.

김훈표가 박진석의 어깨를 툭 쳤다.

"이건 누가 봐도 네가 1등이다."

이후, 함께 요리를 즐기며 토크를 하는 시간이 이어졌다. 박진석의 요리가 단연 화제였고 전반의 토크 내내 주목을 받았던 서은하는 오히려 조용했다.

박진석은 주목받는 데 성공했음에도 조금은 얼떨떨한 기분이었다. 베이스는 자신이 요리했지만 키포인트라 할 수 있는 맛은 강민호의 역할이 컸다. 그럼에도 강민호는 티 하나

내지 않았다.

진짜 요리만 즐겼다는 것에 솔직히 충격이 들었다.

'노는 물이 다르다는 건가?'

"……드라마 '사계절의 행운' 많이 사랑해 주세요!"

녹화가 종료되고 출연진 모두가 인사를 나누며 포장마차 세트장을 빠져나가기 시작했다. 저녁부터 이어진 후반 토크는 밤 10시가 되어서야 종료됐다.

서은하는 안이현에게 고개를 숙였다.

"먼저 들어가 볼게요, 선배님. 고생 많으셨어요."

"은하도 수고했어. 예능 첨인데 말 잘하더라."

"잘하긴요."

"이현이, 은하, 둘 다 잘했어. 어휴, 나만 주책 부렸지."

지진호는 함께 온 여자 친구와 팔짱을 끼고 서은하와 안이현 사이에 섰다.

"다들 다음 촬영 언제야?"

이 물음에 내일 오후인 서은하는 눈웃음을, 실내 촬영으로 바로 이 건물 아래층 세트장으로 가봐야 하는 안이현은 울상을 지었다.

서은하가 업계 선배들과 인사를 나누는 사이 착잡한 표정의 박진석이 민호 앞에 섰다.

"오늘 고마웠다."

"저도요."

민호는 포장마차 세트장 한쪽 조리대 위에 놓여 있는 무쇠 냄비를 귀여운 애완동물을 대하는 것마냥 하트가 듬뿍 담긴 눈길로 바라봤다.

"저 냄비, 박진석 씨 사부님이 팔거나 하진 않으시겠죠?"

"당연한 소리."

박진석은 민호를 보며 도통 모르겠다는 표정으로 물었다.

"뭐 기술은 어떻게 익힌 거야?"

"어쩌다 보니까요."

"중화요리 말고 또 잘하는 거 있어? 있으면 미리 말해. 다음에도 예능에서 만나면 겹치지 않게."

"그때그때 달라서 말이죠."

"무슨 소리야?"

의아해하는 박진석의 반응에 민호는 대답 없이 미소만 지을 뿐이었다. 인사를 끝마친 서은하가 민호의 옆에 섰다.

"진석 선배님도 잘 가세요."

"네, 은하 씨도 잘 가요."

꾸벅 고개를 숙이며 사라지는 서은하와 민호의 뒷모습을 보며 박진석은 더 묻고 싶은 말을 삼켜야 했다.

박진석과 함께 서 있던 친구 김훈표가 두 사람을 보며 휘파람을 불었다.

"그냥 친구라더니 잘 어울리네. 썸 타는 사인가? 서은하는 외대생에 강민호는 퀴즈쇼 우승에. 어째 KG엔터 애들은 다들 스마트해 보여."

"나도 운동이랑 요리 안 했으면 공부 잘했다."

김훈표가 킥킥거리며 박진석의 어깨에 팔을 둘렀다.

"성적 밑바닥인 애들이 꼭 그러더라. 나는 머리는 좋은데 공부를 안 해서 그래~"

"그러는 너는?"

"노노. 나는 당당해. 공부 못하고 공부가 싫어. 배우 한번 해볼 생각 없냐고 연락 오는데 대본 외우기 싫어서 다 거절했쥐~"

박진석은 이것도 답이 없다는 생각에 혀를 찼다. 그리고 강민호가 사라진 자리로 시선을 던졌다.

'설마…… 배우는 안 하겠지?'

소속사 AT엔터의 실장이 매일 하는 말이, '진석이 너는 마스크도 좋고, 목소리도 다 좋은데 연기력이 딸려'였다. 강민호에게 연기까지 지는 꼴은 절대 만들고 싶지 않았다.

알 수 없는 불안감에 이제부터라도 연기교습도 착실히 받아야겠다고 다짐하는 박진석이었다.

"늦게까지 수고 많으셨습니다!"

공 매니저가 엘리베이터에서 내려선 민호와 서은하를 향해 목소리를 높였다.

"오랜만에 봬요, 공 매니저님."

"그러게요. 얼마만의 픽업인지. 민호 씨가 바빠서 지 실장님이 이젠 저한테 부탁도 안 해요. 간만에 꽃님을 모시고 밴을 운전할 수 있겠습니다."

"꽃님이요?"

"아아, 정정. 꽃보다 아름다운 '사계절의 행운'의 주연! 서은하 배우님을 모시게 돼서 영광입니다."

싱글벙글 공 매니저의 정감 어린 농담에 서은하도 활짝 웃었다. 그녀는 함께 움직이는 스태프가 하나 더 늘었음을 보고 민호에게 누구냐는 눈짓을 보냈다.

민호는 잔뜩 긴장해 있는 김 코디의 옆구리를 쿡 찌르며 말했다.

"직접 인사드려."

"처, 처, 처음 뵙겠습니다! 민호 형 코디 김시완이라고 합니다."

"반가워요, 시완 코디님."

곱게 반짝이는 서은하의 눈망울과 마주한 김 코디는 얼굴이 잔뜩 붉어진 채로 고개를 숙였다. 그 순진한 반응에 공 매니저와 민호는 킥 웃었다.

"괜찮아, 시완아."

주차장의 밴으로 향하며 민호는 김 코디의 어깨를 두드
렸다. 서은하를 가까이에서 처음 마주 본 그 심정은 충분히
이해한다. 평소에도 자체발광 하는 미모인데 지금은 근사한
화장까지 덧붙였으니 말이다.

밴에 올라타자마자 서은하는 민호에게 물었다.

"촬영하면서 너무 먹어서 또 저녁은 무리겠죠?"

민호는 포만감이 흘러넘치는 배를 두드리며 고개를 끄덕
였다.

"어쩌죠? 오늘 출연 꼭 보답하고 싶은데."

"괜찮아요. 다음에 얻어먹으면 되죠."

"서로 스케줄 때문에 시간 내기가 쉽지 않아질 텐데……."

아쉽다는 듯한 서은하의 표정에 민호의 시선은 그도 모르
게 그녀가 들고 있는 라켓 가방을 향했다. 어떻게 빌려볼지
고민하던 와중에 그녀가 조심스레 물어왔다.

"저어, 민호 씨. 내일은 시간 돼요?"

운전석에 앉은 공 매니저가 씩 웃으면서 대신 대답했다.

"민호 씨 이번 주 일정은 이걸로 끝입니다~"

"잘됐다."

서은하가 두 손을 맞잡으며 말했다.

"민호 씨, 내일 괜찮으면 점심 같이 먹어요. 오전에 테니스 훈련하고 오후부터 촬영이거든요."

"테니스 훈련이요?"

"거창한 건 아니에요. 선수 역할이다 보니 시간 날 때마다 감 잃지 않게 연습해 둬야 해서요."

"저야 뭐."

민호는 애장품 라켓이 들어 있는 가방에 시선이 머물렀다. 뭐라고 물어야 오해 없이 라켓을 만져 볼 수 있을까를 고민하며 주머니 속에 손을 넣어 회중시계를 돌렸다.

"은하 씨, 혹시……."

째깍거리는 초시계 소리와 함께 1분간의 반응이 짧은 사이 쉴 새 없이 이어졌다.

[그 연습. 혹시 저도 좀 같이 하면…….]

[테니스 평소에 관심이 많은 운동이었는데…….]

어떤 얘기를 하든지 웃으며 고개를 끄덕이는 서은하. 민호는 괜한 걱정을 했다는 생각에 속으로 피식 웃었다.

"저도 운동 좀 해야 해서. 같이 해요, 연습. 테니스도 배워 보고 싶고."

"정말요?"

두 사람의 대화에 밴을 출발시키던 공 매니저는 흡족한 눈길로 백미러를 살폈다.

"내일 오전 스케줄 또 생기셨군요. 그럼, 바로 은하 씨 댁부터 가겠습니다."

민호는 갑자기 생각났다는 듯 뒷좌석으로 고개를 돌렸다.

"시완아."

"네, 형."

"그…… 은하 씨 집에 가면, 은하 씨 아버님과 절대 눈을 3초 이상 마주 보면 안 돼."

"그게 무슨……"

"안 그럼 너 붙잡혀 갈 거야."

"네에?"

민호의 말에 운전하던 공 매니저도, 옆에 있던 서은하도 밝은 웃음을 터뜨렸다.

일요일 아침.

서은하는 커튼 사이를 파고든 햇살에 슬며시 잠에서 깨어났다. 눈은 거의 감겨 있었으나 반사적으로 몸을 일으켜 늘어지게 기지개를 켰다.

시계를 보니 오전 6시였다.

'1시간만 더!'

흐뭇한 얼굴로 아침의 단잠 속에 빠져든 그녀는 이내 귀를 쫑긋 세웠다. 창 밖에서 들려오는 조르륵거리는 물소리가 귓가를 간질인 까닭이다.

'아빠가? 출근하기 전에 얼굴은 봐야 안 삐치지.'

주말에도 나가야 하는 바쁜 형사 일. 이젠 그만 사무실 근무 쪽으로 옮겼으면 해도, 고집을 부렸다. 자기가 없으면 형사부가 안 돌아간다나 뭐라나.

서은하는 하품이 나오는 입을 손바닥으로 두드리며 창문으로 다가갔다.

차라락.

커튼을 젖히고 창문을 열자 바람을 타고 꽃내음이 한가득 날아들었다. 그 향긋한 냄새에 온몸이 상쾌해지는 느낌이 들었다.

서은하는 이 층 방의 창밖으로 고개를 내밀어 향기의 주범이라 할 수 있는 마당의 작은 화단을 바라보았다. 화단 앞에는 서철중이 호스를 들고 물을 뿌리는 중이었다.

'일찍 일어난 김에 몸도 좀 풀자.'

서철중은 어디서 많이 보던 테니스 라켓을 들고 나타난 딸아이를 보며 멈칫하고 말았다.

"야, 그거……."

"왜에? 이것도 경매로 몰래 산 거야?"

부엌에서 아침을 준비 중인 아내에게 행여 목소리가 들릴까 서철중은 안색이 변했다. 가뜩이나 딸에게 약한데 약점까지 잡히자 할 말이 없어진 그는 손에 쥐고 있던 호스의 방향을 살짝 돌렸다.

"앗, 차거!"

서은하가 화들짝 놀라 물러섰다. 그 반응이 제법 재빨라 얼굴에 조금 물이 튄 것 외에는 몸이 젖지 않았다.

"아빠아! 꽃한테나 줘!"

"그러니까 주는 거야."

"……그래?"

얼굴에 묻은 물기를 닦던 서은하가 양팔을 활짝 벌리고 '물을 주세요~' 하는 동작을 선보였다. 서철중은 호스를 잠그고 뭐하냐는 눈길로 딸아이를 바라보았다.

"아껴서 잘 사용하고. 정말 비싸게 준 거니까."

'흐이~' 하고 미소를 그리는 딸아이를 보며 서철중은 무장해제되고 말았다.

마당 한가운데 선 서은하는 포핸드 스윙 자세를 잡고 허공을 향해 휘둘렀다. 잡초를 제거 중이던 서철중이 물끄러미 바라보자 그녀가 물었다.

"어때 보여?"

"벌레 잡냐?"

"뭐어! 이래 봬도 같이 촬영하는 선배들한테 칭찬받은 몸이라고. 잘 봐봐."

발끈한 서은하가 라켓을 반대쪽으로 돌려 바람을 쉭~ 가르는 백핸드 스윙을 선보였다.

"어때? 느낌 딱 오지?"

"음……."

스포츠 애호가의 입장으로 생각하던 서철중은 폴짝폴짝 뛰며 열중하고 있는 딸의 모습에 딸바보의 눈을 덧씌웠다.

"3년밖에 안 친 것치고는 구력이 있어 보이는 스윙이야. 아빠 닮아 운동신경 있는 걸 고마워해."

"민호 씨가 보기에 어색하거나 그러지 않겠지?"

"응? 거서 왜 그놈 이름이 나와?"

"아빠! 놈이라니. 교양 있게 좀 말해."

서철중의 입장에선 딸과 만나려는 사내는 일단 다 '놈'이었다. 물론, 이걸 굳이 딸에게 밝힐 필요는 없었다.

"설마 오늘도 강민호 만나?"

"응, 체육센터에서 같이 테니스 치기로 했어."

"그놈……."

서은하의 눈빛이 찌릿하고 찔러오자 서철중은 헛기침을 하며 말을 이었다.

"그 녀석은 테니스 잘 친데?"

"한 번도 안 해봤대."

"그럼 네 상대가 안 될 텐데."

"아냐, 아빠가 몰라서 그래. 민호 씨는 뭐 하나에 관심을 두면 절대 못하는 법이 없어. 진짜 신기해."

서철중의 시선이 날카로워졌다.

"비리비리한 게 무슨 운동을 한다고."

"아빠는 민호 씨 농구 경기를 하는 것도 못 봤잖아. 선수인 줄 알았다니까."

"농구를 잘해?"

"그럼. 3점 슛을 무지 잘 쏴."

"아마추어가 잘 쏴 봤자지."

대화 도중에 이어진 서은하의 스윙을 지켜보던 서철중은 저것이 단단히 빠져 있구나 하는 마음에 짧게 툴툴거렸다.

"스윙 왕 어색해. 그 녀석이 보고 놀릴 거다."

"아빠!"

민호는 서은하의 동네에 있는 체육센터 앞에 차를 주차하고 가뿐하게 내려섰다.

'저긴가?'

깔끔하게 정리된 야외 코트의 전경에 벌써 기대감이 들

었다. 네모난 경기장 위로 불어온 살랑 바람에 깨끗한 그물 망이 살짝 흔들렸다.

오늘따라 바람도 상쾌하고, 취화정으로 컨디션도 최상이다.

"민호 씨!"

입구에 서 있던 서은하가 손을 흔들었다.

"좋은 아침이에요, 은하 씨."

민호는 그녀와 그녀가 들고 있는 라켓 모두에게 열렬히 반가움을 표시했다.

"이쪽이에요. 5번 코트를 11시까지 대여해 놨어요."

철창의 문을 열고 들어선 민호는 반반하게 다듬어진 테니스장과 줄줄이 이어진 다른 코트에 시선을 던졌다. 서은하가 빌린 곳 외의 코트에는 이미 많은 사람이 들어차 있었다.

"저희 동네에는 생활체육으로 테니스 하는 분들이 꽤 많거든요."

서은하의 친절한 설명에 민호는 자리에 멈춰 정중히 고개를 숙였다.

"잘 부탁합니다, 선배님."

"오늘도 선배인 거군요?"

서글서글한 눈매로 미소 짓던 서은하가 '에헴!' 하며 라켓을 내밀었다.

"민호 씨를 위해 특별히 가져왔어요. 세계랭킹 100위 안에도 들었던 선수가 사용하던 거래요. 그 기운 받아서 잘 배워봐요."

"넵!"

드디어 라켓을 손에 쥔 민호는 건너편 코트에서 한창 랠리 중인 두 사람을 바라봤다.

노란 공 하나가 네트를 넘어 바닥에 부딪혔다. 부드러운 탄력과 함께 튀어 올라 막 스윙하고 있던 라켓에 닿았다.

팡!

짧고, 명쾌하고, 마음을 뻥 뚫어줄 것만 같은 소리가 울리며 노란 공은 다시 네트를 넘어갔다.

"우오!"

절로 감탄이 나오는 광경에 민호의 눈도 반짝였다.

"기본 동작부터 천천히 가르쳐 드릴게요."

공이 가득 담겨 있는 카트를 끌고 온 서은하가 그녀의 라켓을 들어 보인 뒤 말했다.

"라켓은 쥐는 법부터 알아야 하거든요. 그립을 잡는다고 하는데, 너무 세게 붙잡으면 스윙을 부드럽게 할 수 없어요."

민호는 이미 라켓 손잡이에 구분된 8각 면에서 3, 4번 면을 감싸 쥔 '세미 웨스턴 그립'을 취하고 있었으나 얼른 마구 잡이로 쥐어 보였다.

못하는 척해야 함은 당연했다. 잘 모르던 테니스라는 스포츠를 즐기러 온 거지 서은하에게 과시하러 온 건 아니니까.

"자, 요렇게요."

서은하가 민호의 손을 붙잡고 초보자가 많이 사용하는 이스턴 그립을 쥐여 주었다. 그녀의 손길이 닿았다 떨어지자 민호는 입가에 자동으로 번지는 미소를 헛기침으로 무마해야 했다.

"됐어요. 그리고 가장 중요한 건데."

서은하는 무릎을 살짝 굽힌 자세를 유지하며 말했다.

"기본자세를 항상 잡은 채로 스윙해야 해요. 공이 오면 점프 살짝 해주고요."

'근육의 긴장을 유지해야 한다 이거지?'

민호는 고개를 끄덕이며 그녀의 자세를 따라 해보았다.

언제든 날아오는 공에 반응하기 위해서는 무릎을 살짝 굽히고 있다 가볍게 제자리 뜀뛰기를 하는 '스플릿 스텝'에 익숙해질 필요성이 있었다. 민호는 그것을 이해했기에 서은하도 기본을 전문가에게 배웠다는 사실을 알 수 있었다.

"다리는 그대로 두고 허리를 돌려 라켓을 앞으로 휘두르면, 이게 포핸드 스윙이에요."

서은하는 아침에 일어나서 내내 연습했던 자세를 선보였다.

민호가 몇 번 따라 하는 사이 서은하가 테니스공 하나를 쥐고 가볍게 튕겨 보였다. 매끄럽게 날아간 공이 네트를 넘어 반대편 코트에 도달했다.

"민호 씨도 해봐요."

서은하가 던져준 공.

민호는 포핸드 자세 그대로 공을 밀어쳤다.

탕! 하는 청량한 음과 함께 라켓에 닿은 공이 반대편으로 낮은 곡선을 그리며 날아가 네트에 걸렸다. 민호는 공과 충돌한 라켓에서 전해지는 기묘한 떨림에 놀랐다.

'손맛 장난 아닌데?'

타격감으로 이름난 게임을 하며 느꼈던 쾌감과는 비교도 할 수 없을 만큼 좋은 느낌이었다.

서은하가 날아간 공을 보며 말했다.

"어머, 잘 맞추네요. 저는 처음 배울 때 헛손질만 했는데."

"그냥 야구 하듯 휘둘러 본 건데요, 뭐."

"민호 씨처럼 타이밍 맞게 받아치는 거, 쉬운 게 아니에요."

다시 하나 공이 날아왔다.

탕!

이번엔 네트를 넘어 반대편 코트에 닿았다.

"역시. 이걸 아빠가 봤어야 하는데."

신이 나 있던 민호가 멈칫했다.

"아, 아버님께서 왜요?"

"아빠가 민호 씨 무시하기에 아침에 좀 싸웠거든요. 민호 씨는 신경 안 써도 돼요."

신경이 안 쓰일 리가 만무했다. 어젯밤, 서은하를 데려다주면서 정기검진도 아닌 정기심문을 다시 받아야 했으니까. 다행히 김 코디가 샌드백이 되어 숨은 돌렸지만.

"포핸드 익숙해지면 백핸드도……."

공을 쥐고 있던 서은하는 코트 입구로 다가온 한 사내를 보고 눈이 휘둥그레졌다.

"경환 오빠?"

스포츠머리에 무뚝뚝해 보이는 눈매, 스물 후반쯤 되어 보이는 탄탄한 체격의 사내가 테니스 가방을 메고 들어서고 있었다.

"여긴 어쩐 일이에요?"

서은하의 물음에 사내가 대답했다.

"나 비번이라니까 반장님이 너 훈련하는 데 가보라고 하시던데? 테니스 드라마 찍는다며?"

사내는 흘끔 그녀의 뒤편에 서 있던 민호를 바라봤다.

서철중의 직속 후임이자 대학 때 아마추어 테니스 선수를 지내기도 했던 경장, 임경환의 등장에 서은하는 난처한 표정을 지었다.

"오늘은……."

그녀의 시선이 스윙 연습에 몰두 중인 민호를 향했다.

임경환은 테니스 가방을 벤치에 내려놓고 라켓을 꺼내 들었다.

"오빠, 그냥 다른 코트 가면 안 돼요?"

"안 돼. 반장님이 점심까지 너 꼭 가르쳐 주라고 했어."

둘만 있고 싶었던 그녀의 기대를 와르르 무너뜨리는 아빠의 농간으로 오전 연습은 진짜 연습이 되어버리게 생겼다. 결혼식 때 아빠가 주례까지 섰을 만큼 돈독한 관계인 터라, 임경환은 절대로 명령을 어기려 들지 않을 것이다. 고집하면 내로라하는 형사들이니까.

"민호 씨."

다가온 서은하는 두 손 모으며 "미안해요"라고 작게 사과했다.

"아빠랑 같은 서에서 근무하시는 임경환 형사님이 오셨어요. 경환 오빠, 이쪽은 강민호 씨예요."

형사라는 말에 긴장해서 고개를 돌린 민호가 인사했다.

"안녕하세요."

"은하 친구도 있었네. 말 편하게 해도 되죠? 은하랑은 오래전부터 친하게 지내던 사이거든요."

"그럼요."

짧은 스트레칭을 하기 시작한 임 형사가 민호의 아래위를 훑으며 물었다.

"테니스는 얼마나 했어?"

"실제로 해보는 건 오늘 처음이에요."

"흠, 그럼 은하 연습에 딱히 도움이 안 되겠네. 은하가 제 대로 배운 건 3년이지만, 그전에도 취미 삼아 친 게 있어서 실력이 상당하거든."

서철중 버전 2 같은 딱딱한 발언에 민호는 스윙 동작을 멈추고 고개를 돌렸다. 뭔가 서은하의 친오빠가 잔뜩 경계하고 나타난 듯한 느낌이었다. 서철중만큼의 포스는 없으나 뒤에서 있을 그에게 보고할 것은 분명하기에 민호는 멋쩍은 웃음과 함께 둥그스름하게 대답했다.

"맞아요. 제가 졸라서 배우러 나왔어요. 은하 씨에게 민폐를 끼치는 중이죠."

"뻔하네. 핑계 삼아 데이트나 해볼까 이런 거?"

서은하가 눈을 치켜떴다.

"오빠!"

"가만히 있어봐. 너 요새 새벽마다 피곤한 얼굴이더니 드라마 때문이었잖아. 그럼 말을 하지. 내가 시간 맞춰 가르쳐 주면 되는데."

"가르쳐 줄 시간에 언니한테나 잘해요."

"대들기는. 일단 서봐. 얼마나 늘었나 보자."

"이제 오빠한테 배울 것도 없는걸요."

임 형사가 반대편 코트에 섰다. 그리고 라켓을 까딱거리며 말했다.

"네가 한 점이라도 따면 박씨 아저씨랑 치러 가주마."

은근히 무시하는 발언에 서은하의 표정도 착 가라앉았다. 그녀가 민호를 돌아보았다. 복잡한 기색의 그녀에게 민호는 부드럽게 말했다.

"신경 쓰지 마요. 옆에서 스윙 연습만 하고 있어도 되니까."

"미안해요, 민호 씨. 얼른 점수 따고 올 테니 같이 해요."

화라도 날 법한 상황이건만 민호의 마음은 평안했다.

신사의 스포츠라 불리는 테니스. 프로급 테니스 경기는 길어질 땐 두 시간이 넘을 만큼 장기전이 펼쳐진다. 그동안 멘탈을 관리하는 하는 건 랭커로서 필수적인 덕목이었다.

애장품 라켓을 들고 있는 민호 역시 흔들림이 없었다. 마치 도발에 면역이 된 것 같은 기분이었다. 지금은 그냥 공 하나를 들고 벽에만 쳐대도 재미있을 것 같은 민호였다.

분노의 서은하가 코트 위에 섰다.

임 형사는 한쪽 구석에서 고작 포핸드 스윙 기본자세를 연습 중인 민호를 가리키며 고개를 흔들어 보였다.

"이제 걸음마 하는 사람이랑 무슨 훈련을 한다고 그래?"

"민호 씨가 어떤 사람인 줄 알고 그래요? 겉만 보고 무시하지 마요, 오빠. 그거 안 좋은 버릇이니까."

임 형사는 은하가 이렇게까지 감싸주는 사내를 보는 건 처음 있는 일이었기에 속으로 놀랐다. 반장님의 걱정이 어느 정도는 이해가 가는 순간이었다. 언제나 귀여운 여동생으로 남아 있을 것만 같았던 은하가 남자를 두둔할 시기가 오다니.

'이럴 때일수록 더 철저히 보호!'

적어도 은하를 사귈 만한 급의 남자라면 든든히 버티고 있는 자신과 반장님의 벽을 뛰어넘을 정도는 돼야 한다는 것이 임 형사의 지론이었다.

그러기 위해서라도 게임을 봐줄 생각은 전혀 없었다.

"서브는 네가 해."

임 형사는 코트의 라인에 서서 자세를 잡았다.

서은하의 첫 서브가 시작됐다. 파워는 없지만, 리듬감이 넘치는 자세로 때려내자 파앙~ 하는 소리와 함께 공이 네트를 넘어왔다.

임 형사는 기다렸다는 듯 공을 향해 달려갔다. 그리고 라켓을 양손으로 붙잡은 채 강렬한 리턴을 날렸다.

터엉!

라켓에 걸리는 소리의 급이 전혀 다른, 스윙과 함께 뻗어 나간 공은 서은하의 코트에 꽂혔다가 그대로 뒤편으로 날아 갔다. 타이밍이 늦은 서은하의 헛손질이 뒤를 이었다.

0-15.

간단한 리턴에이스.

"아……."

서은하는 임 형사가 그동안 많이 봐줬다는 사실을 이 한 번의 공격으로 깨달을 수 있었다.

"나이스 서브였어."

"됐거든요!"

서은하의 마음과 달리 뒤이은 서브까지 리턴에이스로 끝 이 났다.

스코어는 삽시간에 0-30.

파워와 속도에서 크게 밀리는 까닭에 속수무책이었다. 패 색이 짙어지자 서은하의 시선은 자연스레 민호를 향할 수밖 에 없었다. '히잉~' 하고 울 것만 같은 그녀의 표정을 본 민 호는 턱을 긁적이더니 말했다.

"저기, 잠깐만 작전 타임을 가져도 될까요?"

갑작스러운 민호의 제안에 임 형사는 코웃음을, 서은하는 의아한 표정이 됐다.

민호는 서은하에게 다가왔다.

"실제로 해본 건 처음이지만 테니스 이론 공부는 좀 했어요."

"이론이요?"

잘하는 일에 매번 겸손함을 보일 뿐 자신감을 표한 적이 없던 민호기에 오히려 서은하의 눈은 기대로 반짝거렸다.

"테니스는 체력만큼이나 감각이 중요한 스포츠잖아요. 1점뿐이라면 저는 은하 씨가 충분히 승산이 있다고 봐요."

민호는 서은하의 귀에 대고 작게 소곤거렸다. 그리고 건넨 말이 무엇인지 궁금한 눈길이 된 임 형사에게 눈인사를 보내며 다시 구석으로 향했다. 민호가 주머니 속을 뒤적이며 무언가를 만지는 모습이 보였으나 임 형사는 그것을 확인할 수가 없었다.

"뭔 작전인지는 모르겠는데 절대 안 봐준다."

임 형사의 말에도 서은하는 묘한 웃음만 지을 뿐이었다.

심기일전해 시작된 세 번째 서브.

서은하는 허공으로 공을 던졌다가 팽팽하게 당긴 오른팔로 그대로 공을 내려쳤다. 방금과 똑같은 서브였기에 임 형사는 긴장하면서도 그대로 받아쳤다.

텅!

이번에는 서은하가 끝까지 따라가 받아쳤다. 세 번째 만에 눈에 익기도 했지만, 민호가 상대의 버릇을 알려준 탓도 있었다.

'임 형사님이 양손으로 전력을 다해 때리면 항상 왼편 코트에 꽂혀요.'

임 형사는 방심하지 않고 공을 쫓아가 백핸드 스윙으로 반격했다. 깨끗하게 직선라인을 찌르는 반격이었으나 서은하도 만만치 않았다.

앞선 두 경합과는 달리 긴 랠리가 이어졌다. 그리고 승자는 끝까지 집중력을 잃지 않은 임 형사이었다.

0-40.

"이번은 나쁘지 않았어. 지금 저 친구가 내 버릇 알려준 거 맞지? 눈썰미가 좀 있네. 투 핸드로 잡으면 방향이 고정되거든."

호흡이 가빠질 정도로 집중한 한 점이었다. 임 형사는 자칫 당할 뻔했다며 서은하를 치켜세워 주었다. 완전 울상이된 그녀의 어깨가 축 늘어졌다.

임 형사는 마지막 서브를 기다리며 이번은 무식한 파워보다 기술을 가미해 받아야겠다고 결심했다.

서은하가 서브 준비를 끝마쳤다. 잠깐의 정적 뒤에, 공이 허공으로 던지려는 자세에 접어들었다.

"이번에도……."

스핀을 잔뜩 건 스윙으로 리턴에이스를 노리던 임 형사은,

느릿하지만 낮게 깔리는 서브를 보며 눈이 커졌다.

공 아랫면을 깎아치듯 날려 보내는 언더핸드 서브는 동호인들 사이에서는 비매너라고 부를 정도로 타이밍을 뺏기기 쉬운 서브였다.

'치잇!'

그러나 대비하고 있다면 충분히 받을 수 있었다.

임 형사는 쏜살같이 달려가 네트 근처에서 튕겨 나오는 공을 받아쳤다. 느렸기에 충분히 강한 리턴으로 돌려줄 수 있는 공이었다.

"끝이다!"

라고 외친 순간, 임 형사는 기다렸다는 듯 네트 앞에 서 있는 서은하와 눈이 마주쳤다. 그녀는 싱긋 웃으며 라켓을 갖다 댔다.

퉁! 하고 임 형사가 도저히 받아낼 수 없는 각도로 튕겨 나간 공이 라인 안쪽을 찌르고 코트 밖으로 튕겨 나갔다.

"한 점!"

서은하가 손을 번쩍 치켜들었다. 임 형사는 어이가 없다는 표정으로 그녀를 바라보았다.

호기를 부리다 이대로 사라져야 할 신세가 된 임 형사는 반장님이 이 일을 알면 어떤 소리를 할 줄 귀에 선했기에 몸을 부르르 떨었다.

민호는 회중시계의 뚜껑을 덮으며 씩 웃었다. 프로 테니스 선수의 시선으로 1분 동안의 경기를 훑어보고 반격할 만한 포인트들을 짚어주는 건 크게 어렵지 않은 일이었다.

"민호 씨."

서은하가 민호의 곁으로 달려왔다.

"어쩜, 정말 딱 들어맞았어. 신기해요."

"은하 씨가 빈틈을 잘 노린 거죠."

"또또. 민호 씨가 작전을 잘 짠 게 맞아요."

알려준 것 중에 마지막 포인트에서 따내긴 했으나 어쨌든 서은하와 즐거운 연습을 방해할 사람은 해결됐다.

서은하는 코트에서 걸어 나오는 임 형사에게 손을 흔들어 보였다.

"경환 오빠, 그럼 박씨 아저씨랑 재밌는 경기하세요~"

민호는 그녀의 테니스 가방에서 휴대폰 벨소리가 들리는 것을 확인하고 말했다.

"은하 씨, 전화 왔어요."

서은하가 벤치로 달려가 가방을 열었다. '홍은숙 작가님'이라는 이름이 떠있는 휴대폰 화면에 그녀의 얼굴이 긴장으로 물들었다.

"여보세요? 네, 작가님."

'사계절의 행운' 드라마 각본을 책임지고 있는 작가 홍은숙은 오디션에서부터 서은하를 눈여겨보고 주연으로 적극적으로 추천한 사람 중 하나였다.

"촬영이 비는 시간이 생겨 연습 중이었어요. 네에?"

대화하던 서은하의 눈이 당혹으로 물들었다.

"동네에서 하고 있어요. 여기가 네비에 안 나오는 체육공원이라. 그럼 제가 사거리 쪽으로 나갈게요."

통화를 끝낸 서은하가 무척 미안하다는 표정으로 민호에게 다가왔다.

"홍 작가님이 오세요. 다음 촬영 전에 '은채'의 감정을 잡는 데 도움이 될 이야기가 있으시다고. 아, '은채'는 여주인공 이름이에요."

"이쪽으로요?"

"네. 겸사겸사 같이 테니스도 하시겠다고. 홍 작가님도 테니스 즐겨하시거든요."

민호는 아쉬움이 가득한 얼굴의 서은하에게 괜찮다고 웃어 보였다.

"다녀와요. 임 형사님께 배우죠, 뭐."

"아무튼, 근처시라니까 금방 올게요."

거듭 고개를 숙인 서은하가 코트의 철문을 열고 사라졌다.

"뭐야, 또 누가 와? 은하가 민호 바람맞힌 거야?"

다행이라는 듯한 표정의 임 형사가 걸어왔다.

"어쩌다 보니 그리됐네요. 하하."

민호는 임 형사가 들고 있는 라켓에 시선이 머물렀다. 슈퍼 오버사이즈의 파워를 중시한 모델. 지금 민호가 들고 있는 것은 컨트롤 위주의 얇고 유연한 모델이었다.

경기하게 되면 극명히 갈리는 플레이 스타일이 나올 것은 당연한 일. 생전 처음 해본 테니스 스윙에 제법 익숙해지자 실제 플레이에 대한 갈증이 생겨났다.

"임 형사님."

"응?"

"혹시, 한 수 가르쳐 주실 수 있나요?"

임 형사는 가소롭다는 듯 민호를 쳐다보았다.

"내 서브도 못 받을 텐데?"

"경험이라도 하게 해주신다면 저로선 영광입니다."

프로 테니스 선수의 경험과 마인드를 덧입은 민호의 공손함에 임 형사는 고개를 갸웃했다.

서철중의 요청대로 오늘 일부러 거칠게 행동해 겁을 줄 심산이었다. '누가 감히 우리 은하를'이라는 대의명분에 동의했으니까. 자신 정도 덩치에 인상을 쓰고 거칠게 하면 대부분의 사내는 깨갱하게 마련이었다.

그러나 저 강민호라는 녀석은 보통내기가 아니었다. 자신을 보며 별로 긴장하지도 않은 데다 기본적으로 무른 성격처럼 보였다.

"착해 빠진 건 그 자체로 아웃이지."

"네?"

"아니야. 일단 서봐. 한 게임 정도는 가르쳐 주지."

임 형사가 라켓으로 코트를 가리켰다.

라인에 서서 공을 통통 튀기며 임 형사가 말했다.

"은하한테 한 점 내줬다고 만만하게 보는 모양인데. 테니
스는 서브를 가진 쪽이 엄청 유리해. 공격 옵션을 택할 수 있
거든."

그거야 민호도 알고 있는 바였으나 강력한 서브를 받아내
는 재미를 느껴보려고 일부러 고개만 끄덕였다.

"간다!"

본때를 보여주겠다는 마음으로 허공으로 공을 던진 임 형
사. 오른팔에 단단히 힘을 담아 그대로 내리찍었다.

순간 시속 200㎞ 이상이 나오는 프로의 서브에 비하면 한
참 느린 수준이었기에 민호는 네트를 넘어오는 공이 크게 확
대되듯 선명하게 볼 수 있었다.

한껏 뒤로 당겨 있던 민호의 라켓이 쌩하니 움직였다.

파앙!

경쾌한 타격음과 함께 민호의 라켓 정중앙에 닿은 테니스

공이 반대편으로 튕겨 나갔다. 테니스공이 그림같이 네트를 넘어 임 형사의 라인 안쪽에 꼽혔다.

서브를 날려 보낸 임 형사는 생각지도 못했던 리턴에 할 말을 잊었다.

랠리를 이어나가고 싶었던 민호가 임 형사를 보며 물었다.

"지금 건 충분히 반격할 수 있었는데 왜 안 치셨어요?"

상대가 서브에 손을 댈 수 있으리라고 전혀 예상치 못한 까닭이었다. 임 형사는 고개를 흔들며 우연이었을 것이라 치부했다.

"하, 한 점 접어주고 시작하려는 거였어. 15-러브, 테니스 점수 계산은 알지?"

임 형사는 다음 서브에서 그가 낼 수 있는 최대한의 스피드를 담았다. 공이 네트를 넘어 민호의 정면으로 튀어 올랐다.

초심자는 물론 테니스를 꽤 한 사람도 공이 코앞으로 다가오면 움찔하게 마련이다. 그러나 민호는 전혀 긴장하지 않고 군더더기 없는 포핸드 스윙을 날렸다.

파앙!

임 형사는 자신의 코트로 넘어온 공을 때리기 위해 필사적으로 달려갔다. 공이 돌아오는 스피드에 맞춰 라켓을 휘두르자 반대편으로 길게 넘어갔다.

민호는 걸음을 뚝 멈췄다.

"저건 못 잡겠네요."

임 형사가 그러면 그렇지 하는 얼굴로 다음 서브를 준비했다.

농구 때의 불상사를 대비해 팔다리에 무리가 가지 않는 선에서만 게임을 즐기겠다고 생각 중이었기에 민호의 포기는 빨랐다.

그렇게 스코어는 '15-40'으로 순식간에 벌어졌다.

임 형사는 호흡이 무척 거칠어져 있었다. 일방적인 스코어라고는 하나 좌우로 열심히 뛰어다니며 긴 랠리 끝에 점수를 냈기에 한 게임에도 체력 소모가 만만치 않았다. 그에 비해 민호는 그렇게 지친 기색이 아니었다.

"오늘 배웠다며?"

"오늘 배운 것은 맞지만, 초보는 아니에요."

민호의 대답에 임 형사는 '요것 봐라?' 하는 표정이 됐다.

"은하 앞에서 못하는 척했다 이거야?"

"가르쳐 주는 은하 씨가 너무 즐거워서 잘 모르는 척한 건 맞아요."

민호는 이 부분에 대해서는 가감 없이 대답했다.

"이론은 어느 정도 알고 있습니다."

"공부 잘했다고 티 내냐? 실전에서 전혀 쓸모없는 거 아니야?"

"그럴지도요."

민호는 다음 서브를 넣기 위해 어깨를 휘휘 돌리고 있던 임 형사를 동작을 바라보았다.

"임 형사님은 서브 넣을 때 힘이 너무 들어가요. 어깨 힘만으로 라켓을 당겨서 몸 전체의 리듬이 무너졌어요."

"웃겨."

"밸런스를 생각 안 하고 서브를 넣다 보면 어깨 상합니다. 아마추어로 오랜 기간 테니스를 하셔서 잘못된 습관에 길이 들어 계세요. 테니스 엘보 같은 게 나면 평소 생활에도 지장을 받게 되잖아요."

임 형사는 이 말에 멈칫하지 않을 수가 없었다. 무식하게 치다가 다칠 수 있다는 말은 언젠가 반장님과 테니스를 할 때 들었던 말이었다.

"이론이 빠삭하다 이거지?"

겉보고 판단하지 말라던 은하의 말이 조금은 이해가 가는 순간이었다. 저 머리 좋은 은하와 대등하게 말할 정도면 헛똑똑이는 아니리라.

그렇다고 테니스를 머리로만 익혔던 녀석에게 질쏘냐!

마지막 서브까지 멋들어지게 끝낸 뒤 임 형사는 당당히 말했다.

"봤지, 서브게임이 이렇게 유리……."

"한 수 잘 배웠습니다."

민호가 네트 중앙으로 와 악수를 건네는 모습에 임 형사는 말문이 막혔다. 생초보가 진짜 경기를 한 것처럼 굴다니.

"무슨 소리야? 겨우 1게임이야. 나만 서브했고. 세트 승패는 모르는 거지. 어때? 더 할래?"

"아…… 그럼, 잠깐만요."

민호는 기다려 달라는 신호를 보내고 벤치로 달려갔다. 묵직한 회중시계를 비롯해 주머니 속에서 거치적거리는 물건들을 가방에 놓고 좀 더 가볍게 뛰어다녀 볼 심산이었다.

동전과 회중시계를 차례로 꺼낸 민호는 반대쪽 주머니에서 반지를 꺼냈다가 눈에 이채가 어렸다.

'왜 빛이?'

애장품과 애장품이 어울려 더 나은 효과를 발휘하는 건 겪어 봤으나, 유품이 다시 빛을 발하는 건 처음이었다.

고개를 돌리던 민호는 벤치에 올려둔 애장품 라켓에 빛이 어려 있는 것을 보았다. 반지를 착용한 채로 라켓을 손에 쥐자 은은한 빛이 흡수되듯 사라졌다.

'이건…….'

다시 코트에 선 민호를 보며 임 형사는 6:0으로 세트를 따내겠다는 다짐을 했다.

"임 형사님."

"왜?"

"제가 은하 씨랑 안 어울린다고 생각하시죠?"

라켓을 핑그르르 돌리며 도발적으로 물어오는 민호를 보며 임 형사는 뭔가 분위기가 바뀌었다는 생각이 들었다. 그리고 고개를 흔들었다. 그래 봤자 머리만 좋은 샌님이지.

"반장님은 운동 못하는 남자 질색하시거든. 나도 마찬가지."

"그렇습니까?"

바닥에 공을 튕기며 서브를 준비하는 민호의 모양새에 임 형사는 어디 한번 해보라는 눈길을 보냈다. 저 비리비리한 팔로는 아무리 해도 좋은 샷이 날아올 리 없다.

통통. 두 번을 튕기고 공을 손에 쥔 민호가 물었다.

"탑스핀이 좋으세요, 슬라이스가 좋으세요?"

"그걸 왜 묻지? 할 수 있는 서브를 해."

마치 둘 다 구사할 수 있는 것마냥 오만한 발언이었기에 임 형사가 비웃음을 짓던 찰나, 민호의 손이 움직였다.

허공에 떠오른 공을 향해 그림 같은 각도로 팔이 젖혀졌다. 활처럼 전신이 팽팽하게 휘자 그 자체로 우아함이 느껴질 정도로 자세가 안정적이었다.

임 형사는 아마추어 선수 시절 프로 강사에게 개인지도를
받았던 기억이 떠올랐다.

"경환아. 스핀을 걸 때는 최대한 바른 자세로 깎아 쳐야지. 테니스
는 자세가 생명이다."

하며 정 방향의 최고속 스핀을 걸어 보였던 강사. 파앙! 하
는 시원한 타격음과 함께 민호의 손끝을 떠나고 있는 것도
강사가 보여주던 것과 똑같았다.

빨랫줄처럼 임 형사의 코트에 꽂힌 공은 바닥에 닿자마자
허공으로 높게 치솟아 올랐다.

"허어……."

임 형사는 멋진 탑스핀 드라이브에 입을 떡 벌렸다. 비리
비리했던 팔에서 어찌 저런 서브가 나오는지.

"다음은 슬라이스~"

민호는 공 하나를 들고 와 반대편에서 자세를 잡았다.

똑같이 허공으로 공을 던지고 민호의 팔이 뒤로 젖혀졌다.
아까와는 다르게 허리까지 살짝 비튼 모양새가 척 봐도 다른
방향의 스핀을 걸려는 동작이었다.

임 형사는 당황에 빠져 자세를 잡았다.

첫 서브와는 다른 날카로운 타격음과 함께 공의 오른쪽으

로 강렬한 스핀이 걸렸다. 네트를 넘어오자마자 낮게 깔리며 오른쪽으로 방향을 트는 서브에 임 형사는 속절없이 헛손질해야 했다.

사용하는 방법에 따라 상대의 리듬을 깨고 공격 찬스를 늘리는 슬라이스 샷은 절대 초심자가 익힐 수 없는 타격 방법이었다.

"뭐야?"

30-0.

두 번의 서브 에이스에 어안이 벙벙해진 임 형사에게 민호가 물었다.

"맞다, 운동을 못하는 기준이 어떻게 되죠?"

승부욕을 발동시키는 민호의 한마디에 임 형사의 눈에서 불꽃이 튀었다.

"게임 끝난 거 아니다."

민호는 싱긋 웃었다.

무거운 엔진음을 내뿜는 은빛 스포츠카가 체육공원 앞에 멈춰 섰다. 뒤이어 'I♡Tennis'가 새겨진 모자를 쓰고 있는 중년 여성이 차에서 내렸다.

홍은숙 작가는 테니스장 쪽으로 시선을 던지며 막 내려서
고 있는 서은하에게 물었다.

"서 배우. 둘 중에 누가 강민호 씨고 임경환 씨야?"

"왜요?"

"둘이 경기 중인데?"

놀란 서은하의 시선이 테니스장을 향했다.

"젊고 잘생긴 쪽이 강민호 씨 맞지? 서 배우가 푹 빠진.
와, 눈부신 청춘이네. 좋아할 만해."

오면서 계속된 홍 작가의 짓궂은 놀림도 지금은 전혀 서은
하의 귀에 들어오지 않았다. 민호가 임경환과 팽팽하게 싸우
고 있는 것도 놀라웠지만, 보여주고 있는 동작들이 멀리서도
눈에 띌 만큼 빛났기 때문이었다.

스포츠 스타의 화보를 찍는 것처럼 민호의 몸짓 하나하나
가 찰칵거리며 서은하의 눈에 들어와 박혔다.

"내 남주 '레오'가 저기 있네. 강민호가 오디션 봤으면 당
장 붙여달라고 PD님께 떼를 썼을 텐데."

계속 지켜보던 홍 작가도 감탄했다.

"어? 서 배우. 그런데 강민호 씨 오늘 처음 배웠다고 하지
않았어? 저건 하루 이틀 배운 수준이 아닌데?"

서은하는 엷은 미소를 지었다.

"민호 씨는 신기한 사람이라서요. 재밌어하면 뭐든 다 잘

하더라고요."

"이거, 서 배우 단단히 빠졌네. 그럴 법하다만. 우리 드라마 끝날 때까지는 열애설 참아 줘."

"그런 거 아니에요."

홍 작가는 미소를 지었다. 그리고 똑 부러지는 매력 때문에 다음 작품까지 같이하고 싶어진 배우, 서은하가 푹 빠진 강민호를 눈여겨보았다.

세트 스코어 5-1.

민호는 반지를 착용하자마자 라켓을 휘두르는 감각이 배는 좋아진 느낌을 만끽 중이었다. 아마도 반지에 깃든 요원의 훈련받은 본능이 발동한 것이라 생각됐지만, 그 효과는 엄청났다.

같은 힘, 같은 동작도 그것을 어떻게 활용하는가에 따라 전혀 다른 결과를 가져온다. 그 때문에 체력적으로 한계에 부딪힐 것이 분명했던 한 세트의 경기는 일방적으로 흘러가는 중이었다.

다만, 어딘지 모르게 멋을 자꾸만 부리는 것 같은 기분은 결코 착각이라 할 수 없었다.

지금도 그냥 백핸드로 공을 받으면 되는 걸 일부러 달려가서 점프와 함께 내리찍었다. 위력이야 더하겠지만 코트 반대쪽으로 반격해 오면 한 점을 잃을 상황이었다.

'너무 과감해.'

줄 건 주고 취할 건 취하자는 반지의 선택은 라켓 주인의 안정적인 성향과는 달랐다. 민호는 감각이 좋아진 것에 흠뻑 취해 계속해서 반지의 선택을 따랐다.

결과는 세트 내내 대부분 좋았다.

백핸드로 쌩하니 날아간 공에 임 형사가 달려들었다.

철렁!

중심이 흐트러진 반격으로 인해 임 형사가 날려보낸 공이 네트에 걸리고 말았다. 40-15의 포인트에서 한 점을 더 준 것이라 세트가 그 즉시 종료됐다.

게임 내내 진땀을 흘린 임 형사가 민호를 바라보았다.

"너…… 실제로 테니스를 처음 한 게 오늘이라는 말 진짜야?"

"알아서 판단하셔야 할 것 같네요."

알쏭달쏭한 대답. 민호가 네트 중앙에서 손을 내밀었다.

"게임 재밌었어요."

임 형사는 입맛을 다시며 악수를 받았다. 승부는 정직하게 이뤄졌고 자신은 패했다. 상대도 등에 땀이 흥건하게 젖을 만큼 열심히 게임에 임했으니 실력 차이를 탓할 수밖에.

"반장님이 널 오판한 건 분명해."

"잘 말해 주실 건가요?"

"그건 봐서."

씩 웃던 민호는 갑자기 귀를 쫑긋하더니 말했다.

"은하 씨 오네요."

"어디?"

임 형사가 주위를 두리번거리다 체육공원 입구에서 걸어오고 있는 서은하와 홍 작가를 발견했다. 임 형사가 테니스 가방을 어깨에 걸었다.

"은하한테 잘 말해줘."

"가시게요?"

"쪽팔려서 있을 수가 없다."

서은하와의 내기를 패한 것은 그렇다 치고, 매운맛을 보여주려던 민호에게 도리어 6-1로 깨진 것은 밤에 이불을 찰 법한 일이었다.

"민호."

"네?"

"너 지금 실력이면 반장님과 싸워볼 만해."

민호는 프로 선수의 경험에 요원의 감각까지 더한 실력을 목격한 임 형사가 이긴다고 확답을 하지 못하는 것에 도리어 놀랐다. 서철중의 실력이 그 정도란 말인가?

"근데, 테니스만 잘해서는 힘들 거다. 반장님이 좋아하는 운동 죄다 잘해야 해. 경특에 은하 좋다고 소개시켜 달라며 날고 기던 애들도 거기에 걸려서 죄다 탈락했지. 작년에 진짜 볼만했어."

민호는 뜻밖의 조언에 감사를 표했다. 임 형사는 박씨 아저씨를 찾아 다른 코트로 떠났다.

'거의 가능성이 없네.'

서철중에게 도전하는 건 아득히 먼 얘기였다. 지금까지 찾은 운동선수의 애장품은 다 서철중 개인이 끌어모은 것인데다, 설령 애장품을 찾더라도 그것을 소유할 수 있는 건 다른 문제니까.

그사이 서은하가 철문을 열고 들어섰다.

"많이 기다렸죠?"

"전혀요."

민호는 라켓을 어깨에 걸치고 각도 좋게 폼을 잡는 자신의 모습에 움찔 놀라 얼른 반지를 뺐다. 반지에 곁든 요원의 능력 자체는 출중한데, 어딘지 80~90년대 유행했던 첩보물의 바람기 충만한 요원의 감성이 물씬 느껴졌다.

민호는 반지의 안쪽을 살피다 아주 조그맣게 이니셜이 박혀있는 것을 확인했다. 세월의 흔적이 가득해 흠집이라고 생각했는데 아니었다.

'JB? 에이, 설마.'

서은하와 즐거운 한때를 보내고 난 뒤, 민호는 아쉽지만 오후 촬영이 있는 그녀를 떠나보내야 했다. 기왕이면 데려다 주고 싶었으나 촬영장에 같이 갈 홍 작가 때문에 그것마저 저지당했다.

홍 작가는 은빛 스포츠카에 앉아 민호에게 말했다.

"민호 씨, 나중에 나랑 테니스 꼭 해."

"시간 되면요."

"꼭이야."

서은하가 조수석에 앉으며 민호에게 시선을 보냈다. '전화 할게요'라는 동작에 민호는 부드러운 미소를 지으며 손을 흔들었다.

부아앙!

붕붕이와는 전혀 다른, 귀청이 떨어질 것 같은 엔진 소리를 내며 은빛 스포츠카가 사라졌다.

민호는 차로 돌아가며 휴대폰을 들었다. 오늘 경험한 것에 대해서 아버지에게 묻고 싶은 것이 있었기 때문이다.

신호음이 가고, 예의 퉁명한 목소리가 들려왔다.

–사고 쳤냐?

"아뇨."

이쯤 되면 사고라도 치고 전화하길 바라는 거 아닌가 하는 생각이 들었다. 민호는 붕붕이를 주차해 놓은 곳으로 걸어가며 윤환에게 물었다.

"아버지, 물건 중에 한 번 빛이 났다가 다시 빛나는 상황 있잖아요. 능력이 중첩돼서 더 좋은 능력이 나오는 거."

―아, 그거?

"이게 어떤 식으로 이뤄지는 거죠?"

―그건 나도 모르지. 랜덤인데.

"래, 랜덤이요?"

―애장품 수십 개 만져 봤을 거 아니야. 그중에 다시 빛나는 게 몇 개였는데?

"세 개?"

―아직 넌 그 정도 확률이란 거지. 됐냐?

전화를 끊으려는 윤환에게 민호가 재차 물었다.

"그 정도 확률이요? 뭉뚱그려 그러지 마시고 확실하게 좀 말해 주세요."

―뭐를?

"이렇게 물건끼리 연결되는 걸 더 잘 찾을 방법 같은 거라도."

―딱히 없어. 네가 그만한 수준에 올라야지.

"수준이요?"

-당장 네가 할 수 있는 건 없다니까. 그냥 지금처럼 맘껏 만지면서 돌아다녀.

"좀 자세히 알려 줘요."

민호는 이대로 포기하기보단 아예 자세히 묻는 방법을 택했다.

-아, 귀찮아. 잘 들어. 애장품을 활용할수록 네 감이 좋아지는 건 알지?

"네."

-애장품은 볼품없는 것이라도 깊게 활용할수록 더 감이 좋아져. 유품은 반대로 한번 길들여 소유하면 그걸로 끝. 가짓수가 많을수록 좋지. 아무튼, 이 두 방법을 활용하면 수준은 더 좋아지고, 그럼 연결되는 물건을 찾게 될 확률도 오르겠지.

"그럼 그 수준은 뭐예요?"

-너와 나의 차이지. 넌 애장품을 만져야만 능력을 쓸 수 있잖아.

붕붕이에 올라탄 민호는 윤환의 말을 하나하나 새겨들으며 메모장에 나름 정리하기 시작했다.

아버지, 할아버지로부터 주먹구구식으로 이어진 정보를 취합해 이해하기 편한 게임식 등급으로 나누어 보았다.

〈애장품 활용 능력의 등급〉

D : 애장품에서 손을 떼면 아무 느낌도 없다.

C : 애장품에서 손을 떼면 그 능력의 여운만 남는다.

B : 애장품에서 손을 떼고 아주 짧은 시간 동안 본래의 능력 활용이 가능하다.

A : 애장품을 붙잡고 있던 시간만큼 애장품이 없어도 능력을 온전히 활용할 수 있다.

S : 애장품에 잠시만 닿아도 능력을 하루가량 활용한다. (아버지)

SS : 한번 애장품의 빛을 흡수하면 영구적 능력 활용이 가능하다. (할아버지)

SS+ : 유품의 능력을 애장품처럼 흡수할 수 있는 단계가 존재한다. (시초로 알려진 조상 외에는 누구도 도달한 적이 없다.)

정리하고 보니 명확해졌다.

"할아버지는 무슨 안 좋은 걸 복제해서 돌아가신 거죠?"

-그런 거 아니다. 느낌 별로인 건 너도 구분할 수 있잖아.

"그럼요?"

-지금 말해도 모를 거야. 나중에 네가 확인하면 그때 또 전화해.

달칵.

오늘은 생각보다 긴 얘기를 나누었다. 민호는 정리해 놓은

글귀를 확인하다 자신은 이제 겨우 애장품을 만지고 여운만
남는 단계라는 것을 확인했다.

　30년을 활용해 온 아버지와 50년을 활용했을 할아버지와
자신의 차이는 컸다.

　'그냥 열심히 만지고 다니는 것만으로는 부족해.'

　민호는 새로운 결심을 하며 차에 시동을 걸었다.

———

Object : 중화일품 무쇠냄비.

Effect : 하찮은 재료로도 입맛을 당기는 장인의 불맛을 가미
한다.

Object : 프로 테니스선수의 라켓.

Effect : 랭킹 상위권 프로 선수의 경험과 감각을 공유한다.

Cross Object : 반지와 라켓, 스포츠 선수로 위장한 비밀요원의
2종 세트.

Effect : 멋을 아는 프로 테니스 선수로 위장이 가능해진다.

23.
일상, 애장품, 그리고……

NTV '더 스마트 게임' 2회전 촬영 현장.

"들어가면 되죠?"

민호의 물음에 입구에 서 있던 FD가 고개를 끄덕였다.

끼이익.

민호는 철문을 열고 들어서며 계단 아래 보이는 팔각의 세트장에 시선을 던졌다. 지난번과 마찬가지로 벽 곳곳에 자리한 카메라가 줌을 당기는 모습들이 눈에 들어왔다.

"왔어, 동생!"

장동묵이 반갑다는 듯 손을 흔드는 사이 휴게실에 있던 하비 박이 걸어 나왔다. 공교롭게도 지난주 만났던 두 사람이 먼저 들어와 있었다.

"안녕하세요."

양쪽 다 들리게 손을 흔들며 내려섰다. 정장을 쫙 빼입은 하비 박이 홍차를 한 모금 넘기며 눈인사를 건네 왔다.

"오늘은 슈트가 아니네."

민호는 스프라이트 셔츠와 린넨 바지로 캐쥬얼 하면서 시원스러운 스타일을 꾸몄다. 상대적으로 고령층 참가자가 많은 만큼 젊음을 어필하는 것이 시청자 호감을 사기 좋다는 공 매니저의 조언을 받아서였다.

"방송인이라 패션이 하나로 고정되면 치명적이거든요."

"광고 촬영 때는 제대로 입어줘야 해. 깔끔하게."

정장이 최고라는 주의의 하비 박에게 민호는 난색을 보였다.

"변호사님 건물에 걸려 있는 사진 같은 식이면 좀…… 광고를 그 스타일로 밀어붙일 건 아니죠? 박 변호사님 말고 광고 전문가에게 맡겨 주세요."

민호는 팔짱을 낀 채 한 손의 검지와 엄지를 턱에 붙이고, 이빨이 드러나는 미소를 지어 보였다.

건물에 붙어 있는 자신의 광고포즈를 흉내 중인 민호를 보며 하비 박은 가볍게 웃었다.

"뭐야? 둘이 뭔가 있었어? 묘하게 친해 보이는데?"

장동묵이 민호의 옆으로 다가왔다.

"어쩌다 보니 박 변호사님 로펌 광고를 찍게 돼서요."

"물밑작업?"

"설마요. 저는 되도록 혼자 게임을 하는 게 좋다는 주의라서……."

라고 대답한 찰나, 문이 열리고 백민수와 정서연이 동시 입장했다. 정서연이 백민수의 에스코트를 받으며 내려온 터라 무척 다정다감한 모습이 연출됐다.

장동묵은 갑자기 말을 멈춘 민호의 눈에서 하트가 쏘아질 것 같은 분위기를 발견하고 혀를 쯧쯧 찼다.

"민호, 너도 영락없는 수컷이구나."

오늘따라 착 붙는 드레스를 입은 정서연 아나운서는 지성과 몸매, 미모의 3박자 어우러진 매력을 뽐내는 중이었다. 저 모습에는 누구든 혹할 수밖에 없다고 공감하며 헤벌쭉 웃던 장동묵은 민호의 입에서 튀어나온 다음 말에 '뭐야?' 하고 고개를 돌려야 했다.

"백 선생님!"

민호는 몇 년 만에 절친한 친구를 다시 본 것마냥 살가운 미소로 백민수 앞에 섰다.

"어, 민호야. 잘 지냈어?"

"그럼요. 선생님도 잘 지내셨죠?"

백민수는 푸근한 얼굴로 민호를 바라보았다.

"우리 딸이 방송 보고 1등 못 했다고 구박하더라. 무려 2 등인데."

"다섯 번째 판에 제 운이 좋아서 그런 건데요."

"그런데 투표는 내가 아니라 널 찍었어. 딸자식 다 소용 없다."

"진짜요? 하하."

능력자 중의 능력자, 애장품을 지닌 이가 민호에게 어떤 가치가 있는지를 모르는 장동묵은 어리둥절할 뿐이었다.

장동묵은 정서연을 흘끔 보고 옆에 섰다.

"민호가 눈길도 안 주네. 나이 차가 많이 나서 그런가? 요즘 것들은 연상의 매력을 몰라."

"무슨 소리예요?"

"정 아나는 이 동묵 오빠만 믿고 따라와."

"사양할게요. 저도 백 선생님 파라서 말이죠."

정서연이 백민수의 팔짱을 끼며 웃었다.

세트장 벽에 자리한 수십 대의 무인 카메라가 엔지니어들의 손끝에서 분주히 움직였다.

천 PD는 그중에서 지난주 강력한 연합전선을 구사해 모두 상위권 순위를 차지했던 강민호, 백민수, 장동묵, 정서연을 한 화면에 담았다. 그리고 넷의 화기애애한 분위기를 날

카롭게 주시 중인 하비 박은 따로 클로즈업했다.

"저 연합이 끈끈해지면 불리하다는 걸 알고 있는 눈빛이야."

남은 참가자들이 차례대로 들어왔으나 정답게 대화를 나누는 것 넷뿐이었다.

"그럼, 2회전의 양념을 쳐 볼까?"

천 PD는 엔지니어에게 신호를 보냈다. 효과음과 함께 세트장 안에 있던 모니터에서 하얀 가면을 쓴 사내가 모습을 드러냈다.

－더 스마트는 한 회전에 한 명씩 탈락해 마지막에 살아남은 플레이어가 최종 우승자가 됩니다. 우승자에게는 최종 상금 10억 이상을 얻을 기회를 주며, 회전마다 투표를 통해 가장 높은 평점을 획득한 참가자는 지니고 있는 골드 숫자만큼의 평점 상금을 즉시 지급받습니다.

"민호, 너 골드가 벌써 11개야. 백 선생님은 6개."

지난주 3위로 골드 4개인 장동묵 말에 아직 1개뿐인 사람들이 부럽다는 시선을 던졌다.

"이제 1회전인데요, 뭐. 게임 하면서 충분히 바뀔 수 있어요."

"어쨌거나 오늘도 탈락자가 나오겠구나."

"그게 형은 아닐 거 같아요?"

"뭐, 인마?"

둘의 티격태격에 모두 피식 웃는 가운데 화면 속 대사가 이어졌다.

─1회전 평점이 가장 높은 플레이어는 강민호, 보유 골드는 11개로 1억 1,000만 원의 상금을 지급받습니다. 남은 플레이어 여러분도 분발해서 강민호 씨만큼의 주목을 받을 수 있도록 노력해 보십시오.

화면 속 골드 보유량 아래에 실제 획득 상금까지 표시됐다. 붉게 강조되어 단독으로 그래프가 솟아나온 민호의 이름이 도드라져 보이는 것은 당연한 일.

그때부터였다. 사람들의 분위기가 바뀐 것은.

단 한 번의 게임으로 획득한 돈이 1억이 넘는다는 사실에 대부분의 눈빛이 변했다. 화제의 중심에 서 있는 민호는 담담한 표정이었으나 그와 가장 가까이 서 있던 장동묵마저 말수가 적어지고 진지한 얼굴이 됐다.

─2회전은 '능력 달리기'로 각자 구매한 캐릭터 능력을 활용해 총 3라운드의 경주를 진행하는 게임입니다. 25종의 캐릭터 모두 각기 다른 능력을 지녔으며…….

반지를 착용한 채 들었기에 규칙은 민호의 귀에 쏙쏙 들어와 박혔다.

게임은 시작부터 캐릭터 경매에 참여해 수 싸움을 하다,

중후반 주사위와 운영으로 경주해 승리하는 구조였다. 1회 전 '영향력 게임'의 직업과 마찬가지로 캐릭터별 능력이 다양했기에 상성과 변수가 무척 많았다.

"나는 '러너'가 좋아 보여. 자기 턴에 주사위 안 던지고 강제로 5칸을 갈 수 있잖아."

"그렇게 따지면 치고 나가는 캐릭터를 강제로 후퇴시킬 수 있는 '백러너'도 만만치 않아."

규칙을 듣자마자 세부사항을 고민하며 토론하는 사람들 틈에서, 민호는 어째 8 대 1이 된 것만 같은 기분을 느껴야 했다.

장동묵은 지난주에도 함께했었던 이상철과 대화를 나누며 자리를 피했고, 백민수도 2위인 터라 정서연을 제외하면 아무도 말을 걸어오지 않았다.

"서연 씨는 저쪽으로 안가세요?"

사람들이 많이 몰려 있는 쪽을 가리키자 정서연은 웃으며 말했다.

"1라운드 버티자는 목표는 이뤘으니 떨어지더라도 백 선생님과 있을래요. 지난주에 도움 엄청 받았거든요."

게임적인 요소보다는 정에 이끌린 듯한 모습.

'어떻게 할까?'

아무리 게임을 잘 플레이한다 해도 홀로 고립되면 최하위가 될 가능성이 크다. 블라인드 심리전이 아닌 노골적으로 상대 견제가 가능한 형태의 게임에서는 더더욱.

민호는 반대편에서 사람들을 주도해 이야기를 시작한 하비 박에게 시선을 던졌다. 하비 박은 그 시선을 마주하며 싱긋 웃었다. 그리고 생각 있으면 들어오라는 제스처를 보냈다.

'저기 참여하는 건 최악이야.'

어떻게든 살아남을 수는 있겠지만, 게임도 재미없어질뿐더러 하비 박의 평점만 올려줄 뿐. 고민하던 민호는 오늘 애장품 활용 능력을 키우기 위해 임 사장에게 특별히 빌려온 만년필을 셔츠의 앞섶에서 꺼냈다.

손 위에 낙서처럼 숫자를 적기 시작한 만년필. 잉크가 없어 자국이 묻지는 않았으나 글자는 확인할 수 있었다.

'오.'

숫자를 감상하던 민호는 11이라는 골드 개수가 표기된 자신의 이름표에 시선이 머물렀다. 괜찮은 생각이 떠올랐다.

"백 선생님."

"응?"

"저희 연합할까요?"

백민수는 묘한 웃음으로 대답을 회피했다. 엮이거나 부딪히는 걸 그리 좋아하지 않는 성향. 그럼에도 표정 읽기의 달인이기에 똑같이 고립된다 하더라도 여유 있게 빠져나갈 능력이 있음을 민호도 잘 알고 있었다.

"선생님께서 1위, 제가 2위. 이번 2회전 그렇게 한번 노려 봐요."

"복안이 있는 건가?"

민호는 백민수와 자신의 이름표를 가리켰다.

"선생님과 제 골드를 합치면 17개. 이번에도 1위는 10개를 받을 테니, 승자보다 골드 보유량이 월등히 많아요. 이걸로 1, 2위를 사는 겁니다."

"골드로?"

백민수는 물론 옆에서 듣고 있던 정서연도 흥미롭다는 눈길이 됐다. 민호는 만년필을 손에 쥔 채 자신 있게 말했다.

"이를테면, 제가 2개, 선생님께서 1개를 정서연 씨에게 지급하는 거죠. 게임 중에 협력하면, 끝난 뒤 골드를 주겠다."

"주지 않으면?"

"설령 살아남는다 하더라도 다음 주에 정서연 씨는 저쪽 무리에 서 있게 되겠죠. 평점투표도 바닥일 테고. 요는, 경주에 도움될 만한 중요한 캐릭터를 구매한 사람을 골드로 충분히 포섭할 수 있다는 거예요."

생각하던 백민수는 민호의 미세한 표정 변화를 주시하며 물었다.

"그리되면 민호 군은 이번 주보다 골드 보유량이 더 떨어질 수도 있어. 손해잖아."

"손해요? 이 골드는 아직 제 소유가 아니에요. 최종 우승할 사람 거죠. 그렇다면 활용해서 다음 라운드에 진출하는 게 맞죠."

거짓과 사심이 전혀 없는 민호의 표정에 백민수는 납득할 수밖에 없었다. 돈에 대한 욕심 없이 순수하게 게임의 승리를 즐기는 마인드는 월드 포커 챔피언십의 파이널 테이블에 오르는 갬블러에게서 자주 찾아 볼 수 있다. 집착하는 사람보다 즐기는 사람이 무서운 법.

"그 대신 말이죠, 선생님."

'역시, 그냥 손해 보진 않으려 하는 구나'라고 생각하는 백민수에게 민호는 무척 조심스럽게 물었다.

"지난주에 보여주셨던 그 우승카드, 그거 오늘 게임 끝날 때까지만 부적 삼아 가지고 있어도 될까요? 기운을 팍팍 받아서 게임을 잘하게 될 것 같거든요."

"뭐?"

엔지니어실의 천 PD는 구성작가와 시선을 교환하며 놀라는 중이었다.

"왜 1등에 골드를 몰아주다시피 하는지 파악했네."

"이대로라면 이번 주 평점도 높겠는 걸요?"

"독주도 시청률에 나쁘지 않아. 라이벌 구도가 선명해야 대비가 잘되거든. 2회전 포인트는 저걸로 가보자."

본격적인 게임이 시작되자 카메라는 강민호와 하비 박의 집중 촬영에 들어갔다.

"2회전 어떠셨습니까?"

"그게 스포일러……."

밴에 올라타자마자 공 매니저가 물어오자 민호는 말끝을 흐렸다. '우리 사이에 어찌!' 하며 아쉬움을 표하는 공 매니저와 더불어 김 코디까지 무척 궁금한 표정이 되어 민호를 쳐다보았다.

"에휴."

어두운 표정으로 한숨을 내뱉는 민호에 결과가 썩 좋지 않으리라 짐작한 공 매니저와 김 코디가 침묵했다.

민호는 조용히 좌석에 앉으며 손가락 두 개를 들어 보였다.

"2회전 2등. 나머진 방송으로 확인하세요."

하며 씩 웃었다.

"역시! 축하합니다!"

공 매니저가 활짝 웃는 얼굴로 시동을 걸었다. 민호는 혹시나 스포일러를 하고 다닐 것이 염려되어 덧붙였다.

"정말 비밀이니 다른 데 말씀은 말아 주시고요."

"그럼요. 그럼요~"

민호는 자리에 앉아 임소희의 만년필을 손에 쥐었다가 내려놓았다. 그리고 좌석 앞에 비치된 펜과 메모지를 손에 쥐었다. 숫자가 빠릿빠릿 떠오르던 느낌이 사그라지고, 복잡한 수식은커녕 중딩 때 자다가도 벌떡 일어나 외우던 근의 공식마저 가물가물해졌다.

다시 만년필을 붙잡았다 떠오른 공식을 반지를 통해 중얼거리며 암기했다. 그리고 다른 펜으로 옮겨 적었다. '수리통계학 확률변수 실험값'에 대한 수식이 쭉 이어졌다.

'……너님은 누구세요?'

암기는 됐는데 이해는 가지 않았다.

장장 8시간 동안 백민수의 카드와 더불어 여한 없이 활용했음에도 손만 떼면 능력은 증발.

애장품을 잡았을 때와 잡지 않았을 때의 차이를 줄이려면 결국 자신의 몸에 그만큼의 경험과 노하우를 각인시키는 수밖에 없었다. 이것은 바꿔 말하면, 애장품의 주인이 갖춘 능력을 자신의 몸에도 각인시키라는 말이었다.

'하루 이틀로는 힘들어.'

달인이라 불릴 정도의 능력을 갖춘다는 건 재능의 유무를 떠나 평생이 걸릴 일이다. 그나마 다행인 것은, 자신은 한번 통달한 것을 다른 몸을 빌려 익혀내는 느낌이라는 것이었다. 비록 성장은 더디지만, 그럼에도 보통 사람보다는 월등히 빠를 터였다.

아버지는 느긋하게 즐기다 보면 알아서 늘어날 것이라고 말했다.

민호도 그것에는 동감했다. 세상에 이런 능력을 갖춘 이가 더 있을 리 만무하고, 누군가와 경쟁하는 것도 아니며, 지금도 충분히 즐기고 있으니까.

그러나 손만 잠깐 대면 애장품을 활용할 수 있는 경지가 자꾸만 민호를 유혹했다.

목표가 있으니 집중하라고.

"민호 씨. 오늘 스케줄 끝인데 집으로 가실 건가요?"

공 매니저가 주차장을 벗어나며 물었다. 민호는 임소희의 만년필을 갈무리하며 말했다.

"아니요, Once 앞쪽에서 내려주세요."

"스타피스 활동은 내일부터 아니었습니까?"

"이설이랑 상건이 형이 오늘 밤에 공연하거든요."

누군가의 애장품을 만지다 보면 하나의 일에 모든 열정을 쏟아붓고 있다는 절절한 감정이 느껴질 때가 많았다. 언제든 부담 없이 빌려 볼 수 있는 애장품을 소유 중인 윤이설과 이상건도 그랬다.

'하는 데까지 해보자고. 적어도 아버지 바로 밑 단계까지는 단박에 찍어 줘야지.'

지금은 단 한 칸의 경험치를 위해 밤샘도 불사하는 골수 게이머의 심정이 된 것마냥, 일분일초가 아까웠다.

방송 스케줄이 없는 민호의 일상이 시작됐다.

애장품 별로 활용하는 방식이 다른 만큼, 다방면의 훈련이 동시에 이어졌다.

스포츠 애장품을 대비해 살을 빼는 가람이 옆에서 체력 단련, 머리 쓰는 애장품을 대비해 반지와 함께 전공서적 공부. 연주 애장품은 같은 악기로 나중에 따라 해보는 것으로도 많은 도움이 됐다.

취화정으로 매일매일 최고의 컨디션을 유지한 덕분에 잠자는 시간을 쪼개가며 상당한 시간을 할애할 수 있었다.

Once에서의 프로듀싱 작업과 4강을 위한 맞춤 훈련을 제외한 모든 시간을 쏟아붓다 보니 날짜도 쑥쑥 지나갔다.

금요일 저녁, 까다롭던 이글스의 고딩을 가까스로 격퇴한 날 밤에도 공부하는 모습에 가람이 무슨 설정 중이냐며 깝죽 대다 뒤통수를 얻어맞았다. 스케줄이 빡빡한 날에도 돌아와 공부를 해대자 이 형님이 장난은 아니구나 하고 인정했지만 말이다.

그렇게 정신없이 열흘가량을 보내고 찾아온 어느 날의 아침.

─삐비비빅.

민호는 귀청을 때리는 알람 소리와 함께 잠에서 깨어났다.

'뭐지?'

취화정을 이용한 후부터 기절했다가 눈을 뜨면 시간이 딱 맞았기에 알람을 맞춰본 기억이 가물가물했다.

휴대폰을 들어 '8월 13일. 수요일'이란 날짜를 확인하고 고민하던 민호는 정신이 번쩍 들었다.

'자선경매!'

아버지에게 거금을 주고 얻어낸 정보. 괜찮은 유품을 발견할 가능성이 짙은 날이 바로 오늘이었다.

지금까지 획득한 취화정과 붕붕이는 인정하기 싫지만, 아버지가 생각 없이 던져준 회중시계와 반지보다는 급이 떨어졌다.

민호는 침상에서 벌떡 일어섰다.

"우음."

건너편에서 자고 있던 가람이 인기척에 몸을 뒤척이다 눈을 떴다.

"형, 운동 가게요?"

"오늘은 너 혼자 해야겠다. 갈 곳이 있어."

지방의 K대학이라고 했으니 지금 바로 출발해도 시간이 빠듯했다.

"그럼, 저는 더 잡니다~"

민호는 가람의 침상으로 가 이불을 확 젖혔다.

"따샤. 1그램이라도 더 빼야지. 광안리에 가서도 뱃살 뒤룩뒤룩 보일 셈이냐?"

이번 주말에 부산에서의 결승도 확정됐겠다, 아픈 곳을 자극하자 가람이 눈을 번쩍 떴다.

"벗는다, 웃통!"

가람이 운동복을 챙겨 들고 밖으로 뛰어 나갔다.

민호는 후배 하나 인간 만들어 놓아야겠다는 미션 하나를 클리어했다는 만족감을 안고 욕실로 향했다. 고작 삼 일 더 운동한다고 살이 눈에 띄게 빠지지는 않겠지만, 버릇을 들여 놓으면 겨울 즈음엔 저 포동포동 지방 덩어리가 줄어들 것이다.

세수를 끝마치고 붕붕이에 올라타 시간을 확인했다.

6시 30분.

"아, 맞다."

오늘 오전에 잡혀 있는 Once에서의 스케줄이 떠올랐다. 3시간 거리인 만큼 다녀오면 백 퍼센트 오전 시간에 돌아올 수 없었다. 오후에는 영업해야 하는 터라 시간을 늘려 대여할 수도 없고.

'이설이한테 미안하지만, 내일로 연기해야겠어.'

민호는 휴대폰을 들어 전화를 걸었다.

─여보세요……?

수화기 너머 윤이설의 목소리는 무척 졸린 기색이 가득했다.

"응, 이설아. 아침부터 미안. 오늘 스케줄 내일 아침으로 미뤄둬야 할 것 같아서. 지방에 다녀올 일이 있거든."

─민호…… 오빠?!

후다닥거리며 일어나는 소리, 부산스럽게 움직이는 소리, 뺨을 철썩 두드리는 소리가 연이어 들렸다.

─말씀하세요, 오빠.

졸림 가득한 목소리가 한결 산뜻한 목소리가 되어 흘러나왔다. 민호는 윤이설의 행동이 그대로 상상이 되어 웃음이 나왔다.

"요즘 정신이 없어서 오늘 오전에 경매가 있단 걸 깜빡했거든."

—중요한 일이에요?

"취미 생활하고 관련된 거지만 중요해."

—저는 괜찮아요. 한가하니까.

"아무튼 미안해."

용건을 끝낸 민호가 인사하고 통화를 끝내려는 찰나, 윤이설이 다급히 그를 불렀다.

—대표님!

"대표 아니라고 했지?"

—임시 대표님!

"왜?"

—2주째 작업한 타이틀곡이 막혀서 그런데요…….

머뭇머뭇하는 기색이 수화기를 통해 고스란히 전해졌다.

—바람도 좀 쐬고 싶고…… 그러면 좋은 멜로디가 나올 거도 같고…… 저는 옆에서 아무 말도 안 하고 공기처럼 가만히 있다가 돌아올 수 있는데.

"같이 가자고?"

—네에! ……가 아니고, 꼭 그렇다는 건 아니지만요. 그래도…….

"아님 말고."

-같이 가고 싶어요!

민호는 웃으며 말했다.

"집 앞으로 갈 테니까 나와, 그럼."

3시간씩의 왕복 운전길을 붕붕이와의 단독 대화만으로 가는 것도 좀 피곤한 일이니까.

"엄마, 엄마!"

아침부터 부산스럽게 움직이는 딸의 소란에 아침을 차리고 있던 이지은은 뭐하냐는 눈길을 보냈다. 윤이설은 허둥지둥 달려와 어머니 앞에 섰다.

"드라이기 어딨어?"

"거실 거울 옆에 있잖아."

"아하!"

"무슨 바람이 불어 7시도 안 돼서 일어난 거야?"

"우리 민호 오빠랑 데이……."

윤이설이 '이크!' 하며 눈웃음을 짓자 이지은도 따라서 방긋 웃었다. 외모가 닮아 있는 두 모녀는 잠시 동안 어색하면서도 사이좋은 시선을 주고받았다. 이지은이 손에 쥐고 있던 국자의 각도가 조금씩 올라가고 있음을 깨달은 윤이설은 재빨리 말을 이었다.

"내 친구 선영이랑 놀러 가기로 했어. 걔가 요즘 되게 우울해해."

시치미 뚝 떼고 되지도 않는 변명을 늘어놓는 윤이설을 측은하게 쳐다보던 이지은은 손에 쥔 국자를 탁 내려놓았다.

"그랬구나, 우리 딸."

끄덕끄덕.

윤이설은 순진무구한 표정을 지어 보이며 속으로 안도했다. 그리고…… 어머니의 등짝 스매시가 날아들었다.

팡!

"아야!"

윤이설은 아린 등을 쓰다듬으며 볼을 부풀렸다.

"왜에. 원래 강 대표님이랑 곡 작업하기로 되어 있었단 말이야."

"딸아, 이 덤벙이 딸아. 데이트 간다고 엄마가 때린 거 같아? 나도 강민호 군은 괜찮다고 생각해. 고등학교 졸업하자마자 백수 된 딸 취업에 도움도 주고. 약아 빠져 보이지도 않고."

"그럼?"

이지은은 마침 일어나 방에서 나오는 아들 윤익현에게 물었다.

"아들. 네 누나 어때 보여?"

하품하며 걸어오던 윤익현은 윤이설의 아래위를 훑어보

왔다.

수건은 어디에 떨어뜨렸는지 머리에서 물은 뚝뚝. 바지는 외출태세였으나 윗도리는 잠옷 그대로인 괴상한 패션. 아무리 가족사랑 플러스점수를 덧입혀도 커버할 수 없는 '칠칠치 못함'의 총체적 난국이 누나의 전신에 팽배했다.

"아티스트네, 아티스트. 내가 강 대표님이면 누나보고 진짜 음악만 하고 싶어질 것 같아."

시크한 표정으로 우유를 컵에 따르던 동생이 한마디를 덧붙였다.

"그것도 되게 웃긴 음악."

동생을 물끄러미 보며 입술을 잘근거리던 윤이설이 나직이 중얼거렸다.

"췌. 이제 용돈 주나 봐라."

"맘대로. 아빠한테 받는 걸로도 충분해."

"누나 지금 장난 아니거든!"

홱 토라져 부엌을 나온 윤이설은 단란한 가족사진이 걸려 있는 거실을 지나 전신 거울 앞에 섰다. 그리고 할 말을 잃었다.

"아……."

가관가관. 이러고 나갔으면 완전 쪽팔릴 뻔했다.

백미러를 살피던 민호는 기타를 메고 아파트 단지 입구로 나선 윤이설을 발견했다. 수수한 블라우스 상의에 반바지 차림임에도 살결이 워낙 하얗기에 확 눈에 띄었다.

"이설아!"

민호는 창문으로 고개를 내밀고 손을 흔들었다. 윤이설이 반가운 얼굴로 다가오던 중, 갑자기 발이 엉켰는지 비틀했다.

"꺅!"

짧고 높은 외마디 비명이 들렸다. 가까스로 중심을 잡은 그녀의 뺨이 확 달아올랐다. 그렇게 손으로 얼굴을 가리고 후다닥 달려오다 또 비틀. 왜 그런가 눈여겨봤더니 굽이 있는 여성용 구두를 신고 있었다.

"조심조심 걸어."

"헤헤."

운동화만 신고 다니더니 왜 갑자기 구두인지. 민호는 피식 웃고 말았다. 조수석의 문을 연 윤이설이 기타를 뒷공간에 실었다.

"안녕하세요, 민호 오빠."

"반가워."

윤이설이 올라타자 무더운 여름임에도 싱그러운 봄바람이 스치는 느낌이 들었다.

차를 출발시키며 민호가 물었다.

"타이틀곡이 왜? 네가 2주 동안 막힐 정도면 정말 문제 있는 거 아니야?"

"그런 건 아닌데요. 감정을 확실하게 모르겠어요."

"감정?"

민호는 아직 멜로디를 듣진 못했지만, Once를 통해 지난 주까지 4곡을 더 프로듀싱한 경험을 빌어 생각해 보았다.

스무 살의 나이에 작곡은 물론이고 작사까지 손수 하는 윤이설은 그녀의 감정을 직설적으로 표현하는 곡을 주로 만든다. 그녀가 공감할 수 있는 감정이면 곡의 표현력은 더욱 풍부해지고, 멜로디도 귀에 착착 감긴다.

"제목이 뭔데? 그것도 아직 안 정해졌어?"

"아, 그건요……."

윤이설은 민호를 흘끔 바라보았다. 그리고 나직이 말했다.

"'눈맞춤'이에요."

"눈맞춤? 아이 컨택?"

"네."

"그걸 왜 몰라."

민호는 신호등에 정차하자마자 윤이설의 눈을 직시했다. 삽시간에 눈과 눈이 마주치자 윤이설이 '흡' 하고 숨을 멈추었다.

"이렇게 눈싸움하면서 느껴지는 거 막 쓰면 되는 거 아니야?"

"오, 오, 오빠로는 힘들죠!"

잔뜩 굳어져 있는 윤이설을 보며 민호는 모르겠다는 듯 고개를 흔들었다. 아무래도 Once에서 들어봐야 곡의 의도가 뭔지 파악할 수 있을 것 같았다.

"다 되면 꼭 말해."

신호가 바뀌어 차를 출발시키려는데 어디선가 '꾸르륵' 소리가 들려왔다.

민호는 자신의 배를 바라보았다. 아무 느낌이 없었기에 자신이 아님은 분명했으나, 윤이설이 너무 당황해서 딸꾹질을 시작한 것을 보고는 아무렇지 않다는 표정으로 말했다.

"나 아침 안 먹었는데 가다가 휴게소에서 맛있는 거 먹자. 배고프다."

"……네, 오빠."

쥐구멍이라도 찾고 싶어진 윤이설은 민호가 정말 웃긴 음악만 하고 싶어지면 어쩌나 하는 불안감에 가슴이 콩닥콩닥 뛰어왔다.

그녀가 슬며시 입을 가리고 "공기, 공기"라 중얼거리자 민호는 그도 모르게 미소를 머금었다.

고속도로를 타고 20여 분을 달려 처음으로 도착한 휴게소에서 민호는 뜻밖의 상황과 마주쳐야 했다.

"강민호다!"

"강민호? 더 스마트?"

지난주 2회 차 방송분이 또다시 시청률이 오르자 부쩍 알아보는 사람들이 늘었다. 2회에선 비록 2위였으나 평점은 1위의 백민수보다 높았기에 토요일 내내 실시간 검색어 순위를 오르락내리락했으니까.

"싸인 좀 해주세요!"

"저도요!"

방학 시즌과 휴가철인 탓에 휴게소 안이 온통 사람들로 북적거렸다. 민호는 몇 걸음 떼지 못하고 둘러싸여야 했다. 하나둘 모여든 이들은 저마다 휴대폰을 손에 쥐고 사진부터 찍어댔다.

민호는 옆에서 따라오다 놀란 윤이설에게 말했다.

"먹고 가긴 힘들겠다. 이설이, 네가 가서 먹을 것 좀 사와."

"네."

고개를 끄덕이고 휴게소 안으로 들어가는 윤이설.

민호는 다가오는 사람들을 향해 담담한 미소를 준비했다. 팬 관리의 요령에 대해서는 공 매니저에게 자주 들었지만, 그것을 써먹을 날이 이렇게 빨리 오게 될 줄은 예상치 못했다.

'이게 고정 프로의 위력인가?'

'더 스마트'의 인기와 더불어 인지도 역시 급상승. 흐뭇하면서도 생경한 상황에 민호도 조금 얼떨떨했다.

"천천히들 찍으세요, 어디 도망 안 갈 테니."

"3회전은 몇 등 하셨어요?"

"탈락은 안 했어요."

"에이~ 좀만 더 가르쳐 주세요."

민호는 며칠 전에 찍은 3회 차 결과는 금요일 방송까지 비밀이었기에 웃음으로 대충 얼버무렸다.

3회전에서는 게임보다 임소희의 만년필로 계산을 즐기는 데 심취한 터라 5위. 이번 주는 별다른 기대를 하지 않고 있긴 했다.

셀카를 찍는 여고생들 옆에서 브이 자를 그려주고, 펜과 종이를 내민 이에게는 친절하게 사인을 해주며 윤이설을 기다렸다.

"민호 오빠."

재빨리 다녀온 윤이설이 통감자 구이와 어묵바, 호두과자를 산 봉지를 흔들어 보였다.

"어? 홍대 여신?"

몰려든 사람들 가운데 윤이설을 알아보는 사람들까지 생겨났다. 민호는 더 버티고 있으면 완전히 혼잡스러워질 것 같아 윤이설의 손을 붙잡아 옆에 세웠다.

"이쪽은 윤이설 양 맞고요. 스타피스의 첫 번째 가수로 곧 앨범을 발매할 예정이니 많이 사랑해 주세요. 저희가 찍은 '반짝이는 별' 동영상도 100만을 향해 가고 있으니 한 번씩 꼭 봐주시고요."

민호는 윤이설에게 "웃어, 웃어"라고 복화술 비슷하게 소곤거리며 사람들에게 손을 흔들었다. 그리고 차까지 그대로 직행했다.

차 문을 닫고, 매너가 가득해 보이는 웃음을 유지한 채로 휴게소를 빠져나왔다.

"휴우."

진한 한숨을 내뱉는 민호에게 윤이설이 감탄했다는 듯 말했다.

"오빠, 방금 완전 대표님 같았어요."

"그랬어?"

윤이설은 머리를 아래위로 크게 흔들며 웃었다. 그녀가 사온 어묵바를 입에 넣으며 민호도 웃었다.

"모자랑 마스크 쓰고 다니는 연예인들이 다 들킬 거 알면서도 왜 그러는지 이제 알 것 같아."

3시간 뒤.

클래식 스포츠카가 K대학의 교정을 가로질러 공용 주차장 안에 멈춰 섰다. 지방에서는 흔히 볼 수 없는 차의 등장에 캠퍼스를 거닐던 학생들의 이목이 쏠렸다.

민호는 경매 시작 시각이 10분 남았음을 확인하고 라디오를 향해 말했다.

"수고했다, 붕붕아. 이설이도 잘 지켜주고 있어."

─조수석 드라이버의 보호 기능은 탑재되어 있지 않습니다.

"알아, 알아. 말이 그렇다는 거지."

민호는 오면서 잠이 든 윤이설에 시선을 돌렸다. 공기처럼 있겠다고 하더니 정말 조용하게 잠을 청하는 중이었다.

"이설아."

"으음."

윤이설이 민호의 부름에 화들짝 놀라 눈을 떴다. 민호는 차 열쇠를 뽑아 그녀의 손에 쥐여 주고 말했다.

"시간 다 돼서 얼른 가봐야 해. 끝나면 바로 전화할게. 심심하면 이 안 어디 카페에라도 가 있어."

"네, 오빠. 잘 다녀오세요."

민호는 밖으로 나오자마자 K대학의 문화회관으로 달

렸다. 푸릇한 가로수가 늘어선 돌담길을 지나자 3층 높이의 회색 건물이 눈에 들어왔다.

'5분!'

다행히 딱 맞춰 도착했다. 숨을 가다듬고 입구의 안내 표지를 따라 세미나실로 향했다.

작고한 '황석공 교수'의 지인들만 초청하는 비공개 자선 경매.

"어떻게 오셨죠?"

문을 열자 가슴에 '조교수 박칠호'라는 이름표를 달고 있는 정장 차림의 사내가 다가왔다. 민호는 강당 바로 앞에 삼삼오오 모여 있는 참여자들을 보며 말했다.

"강민호라고 해요. 경매에 참여하러 왔어요."

책상 위에 놓인 명단을 확인한 박칠호가 물었다.

"강윤환 씨 대리인 맞으시죠?"

"네. 제 아버님이에요."

"들어가세요. 29번 자리에 앉으시면 됩니다."

민호는 29번이 적힌 번호 푯말을 들고 떨리는 심정으로 자리에 앉았다.

10시가 되자 박칠호 조교수가 강당 위에 올라섰다.

"이 경매는 황석공 교수님의 유언에 따라 특별히 만들어진 자리입니다. 황 교수님이 살아생전에 모으셨던 물건과 집기

모두를 처분하고, 그 수익금을 10대 청소년들을 위한 심리치
료센터에 기부하시고자…….”

민호는 빔프로젝터로 스크린에 쏘아지고 있는 자료 화면
에 시선을 던졌다.

황 교수가 지나온 발자취를 살펴보니, 심리학이니 정신건
강의학이니 관여한 논문이 수도 없이 많았다. 요즘 들어 공
부를 많이 했다지만 전혀 감이 안 잡히는 분야들만 이어
졌다.

‘그나저나 유품이 있긴 있겠지?’

능력이 출중한 학자라고 하더라도 굳이 한 물건에 애정을
쏟지 않았다면 유품은 생겨나지 않는다. 아버지는 이 정보를
말하며 확실히 유품을 발견할 수 있을 것이란 확답은 하지
않았다.

민호는 정보료만 2천이 든 것이 헛되이 사라지지 않길 바
라며 경매의 시작을 기다렸다.

“네, 그럼 본격적으로 경매를 시작하겠습니다.”

첫 번째 물건은 황 교수가 취미 삼아 모으던 도자기 컬렉
션이었다.

“시작가는 200만 원입니다.”

“200.”

“250.”

기본 감정가에 자선 경매의 기부 의미를 더한 가격들이 연이어 불렸다.

"네, 250까지 나왔습니다."

"300."

"350."

"350. 더 없습니까? 하나, 둘, 셋."

박 조교수가 종을 쳤다. 낙찰된 물건은 바로 포장되어 한쪽에 놓였다. 뒤이어 나온 물건도 황 교수의 공예 수집품이었다.

30분 정도가 흘러, 열 번째 물건까지 은은한 빛을 목격하지 못한 민호는 조금씩 안달이 나기 시작했다.

'정말 없는 건가?'

아쉬워하는 찰나, 열한 번째 물건이 강당의 탁자 위에 올라왔다.

"황 교수님이 착용하시던 안경으로, 제자에게 선물 받은 명품이라고 무척 좋아하셨던 물건입니다. 시작 가격은 50만 원."

민호의 눈이 번쩍 뜨였다. 올라온 안경에 빛이 어려 있던 것이다.

"드디어!"

그도 모르게 외쳤다가 헛기침을 하며 29번 푯말을 들어 올렸다.

"50."

"60."

민호는 아까부터 물건을 쓸어가다시피 입찰하던 사람이 따라붙었음을 확인하고 높게 올렸다.

"200."

한 번에 팍 올리자 다른 참여자들이 맨 뒤의 민호에게 고개를 돌렸다.

"200 나왔습니다."

"220."

"네, 220. 더 없습니까?"

'또 따라온다고? 에잇.'

"1,000."

지난주에 입금받은 상금도 넉넉하겠다 과감히 올렸다. 노블레스 오블리주를 추구하는 성격은 아니지만, 자선경매의 기부니 아깝다는 느낌도 없었다.

사람들이 웅성거렸다.

기본가에서 무려 20배가 치솟자 맨 앞에서 경쟁하던 중년 사내가 고개를 저었다.

"1,000. 하나, 둘, 셋. 낙찰됐습니다."

민호는 속으로 쾌재를 부르며 안경을 사랑스럽게 쳐다

보다 '응?' 하고 눈을 비볐다.

'실내라 그런가? 왜 색이 다르지?'

보통의 애장품에 어린 은은한 빛은 하얀색에 햇살이 연하게 스며든 듯한 노랑 빛을 띠었다. 그러나 저 안경은 좀 더 진한 햇살의 색이었다.

어쨌든 가까이서 보면 알 일.

민호는 한껏 들떠 경매가 끝나길 기다렸다.

"여기 있습니다."

경매시작 1시간 후. 안경은 케이스에 담겨 민호의 손에 쥐어졌다.

"감사합니다."

인사하며 떠나려는데 아까 경매에서 잠시 대결했었던 중년 사내가 다가왔다. 50대의 평범한 인상. 비싸 보이는 양복은 아니지만 정갈하게 차려입은 남성이 웃으며 말을 건넸다.

"강민호 군 맞지? 얼굴도 닮았고, 어째 윤환이랑 똑같이 경매한다 싶었어."

"아버님을 아세요?"

"그럼, 경매장에서 많이 마주쳤거든. 원유훈이라고 하네. 반가워."

원유훈이 내민 명함에는 '서울 골동품'이란 상호가 적혀 있었다.

"윤환이가 몇 년 통 안 보이나 싶더니 아들한테 가업을 넘겼나 봐. 아무튼, 자주 볼 것 같으니 안면 터 놓자고."

민호는 악수를 하다 원유훈의 양복 안주머니 쪽에서 은은한 빛이 새어 나오고 있는 것을 발견했다. 골동품 전문가의 애장품이라.

"나중에 따로 찾아뵙고 인사드릴게요."

"그러든지. 인사동 쪽에 있으니까 찾아오긴 편할 거야."

'찾아가기 힘들어도 꼭 찾아갑니다!'

민호는 속으로 다짐하며 건물을 나왔다. 그리고 주차장으로 걸어가며 손에 쥔 안경집을 바라보았다.

두근두근.

기대감을 잔뜩 안고서 뚜껑을 열었다.

"어라?"

착각인가 싶었는데 정말이었다. 안경 전체에 어려 있는 빛은 은은한 색이 아닌, 명백히 주황 빛깔이었다.

"유품도 등급 같은 게 있다는…… 앗따따!"

안경에 손을 댔다가 찌릿한 느낌을 받고 화들짝 놀랐다. 민호는 자칫 바닥에 떨어뜨릴 뻔했음을 깨닫고 십 년 감수한 표정을 지었다.

'뭐야? 만지지를 못해?'

민호의 다음 행동은 자연스레 아버지와의 통화로 이어질
수밖에 없었다.

　─말해.

"안 바쁘시죠? 지금 황 교수님 자선경매 끝나고 나오는 길
인데요."

물어볼 것이 많아 미리 양념을 쳐 놓으려는데 윤환이 대뜸
물어왔다.

　─색이 다른 유품을 본 거냐? 오렌지색 정도?

"빙고!"

　─만질 수는 있고?

"아니요, 전기 같은 게 와서."

민호는 안경집을 다시 열어 손을 대 보았다. 전기 스파크
가 튀는 것 같은 따끔함에 0.5초도 대고 있을 수가 없었다.
이래서는 붙잡고 잠을 자는 짓은 상상조차 할 수 없다.

　─너 애장품에서 손 떼면 아예 활용 못 하지?

"아직은 그래요."

　─손을 떼고 약간 활용할 수 있었을 때 회중시계를 길들였
으니까, 그 정도 수준 되면 쓸 수 있을 게다.

"그게 언젠데요?"

　─나는 일 년 정도 걸렸는데…….

수화기 너머로 방문을 여는 소리가 들려왔다.

－너는 거의 다 된 것 같아.

"그걸 확인하는 방법이 있어요?"

－그럼.

"어떻게요?"

－나니까.

뭐라 대꾸할 수 없는 윤환의 말이었다. 가문의 능력을 활용하는 정도의 차이는 확실하다. 아버지와 같은 수준이 될 때까지 얼마나 노력해야 할지 아직은 감조차 오지 않았다.

"아버지, 혹시 이거보다 급이 더 높은 유품도 있어요?"

－있지.

보통의 애장품이나 유품은 사회에서 달인이라 불릴 정도의, 일단은 현실적인 능력을 담는다. 아버지가 같은 급이라 얘기한 회중시계는 그보다는 더 초월한 능력인 1분간의 미래를 볼 수 있고.

그 위의 유품이 있다면 아마도 더 신기한 능력들을 담고 있으리라. 히어로무비 속 영웅이 된 것만 같은 기분을 조금이나마 느끼게 해줄 수 있을지도 모른다는 기대감에 민호는 흥분에 불탔다.

－할 말 다 끝났지?

"에이, 좀만 더 얘기해 주세요. 아버지가 가진 유품은 어느 정도 수준인 건가요?"

―바빠.

민호는 헛기침을 한차례하고 점잖게 말을 꺼냈다.

"존경하는 아버님의 목소리가 자꾸만 듣고 싶어지는 요즘 입니다. 조만간 찾아뵐 테니 아들이랑 삼겹살에 쇠주나 한 잔……."

―거기까지. 한잔 먹고 들입다 잘 거 뻔하니까 오지 마. 뭘 알고 싶은데?

민호는 아버지와 대화를 나누는 가운데 휴대폰의 메모장 을 열어 이전에 들은 것 위에 다시 한 번 정리를 시작했다.

〈유품 등급〉

하급 : 은은한 색.

-취화정, 붕붕이.

중급 : 주황색.

-동전, 회중시계, 반지, 안경.

상급 : (더 짙은 색 추정)

〈애장품 활용 능력의 등급〉

C : 애장품에서 손을 떼면 그 능력의 여운만 남는다. (현재의 나)

＋ 하급 유품을 길들일 수 있다.

B : 애장품에서 손을 떼고 아주 짧은 시간 동안 본래의 능력 활용이 가능하다.

＋중급 유품을 길들일 수 있다.

"참, 원유훈이란 분을 만났어요."

―아, 그 양반? 아직도 잘 돌아다니나 보네.

"골동품점을 운영하시던데."

―나도 몇 개 산 적 있지. 비싸긴 해도 물건은 확실하거든.

"아버지를 같은 업계 분으로 아시더라고요."

―수집상인 척 구는 게 편해. 거기 인사동 뒷골목이 골동품계에서는 무법천지라 동종 업계 사람이어야 덤터기를 덜써. 혹시 가볼 생각이면 머리 팽팽 돌아가는 애장품 하나 들고 가야 할 거다. 나처럼 아들이라고 느슨하게 팔고 그런 거 없거든.

"느, 느슨이요?"

그리 아들을 생각해서 회중시계 3억에 경매 정보를 2천에 넘겼다 이건가? 속으로는 구시렁거렸으나 민호의 얼굴은 상사 앞에서 손을 비비는 부하 직원의 그것이 되었다.

"아버지. 이런 경매 정보 더 있으면 말씀 좀 해주세요. 금고에 있는 물건 하나 더 파셔도 좋구요. 헤헷~"

―끝났지?

"아뇨! 사랑합니다아!"

달칵.

역시나 용건이 마무리되자 통화는 단칼에 종료됐다. 따지고 싶어도, 유품에 대한 부익부 빈익빈 차이가 현격한 지금은 아버지야말로 세상에서 가장 잘 보여야 할 상대이자 갑이었다.

'다음 통화 때는 전략을 잘 짜봐야지.'

민호는 다짐하며 주차장으로 향했다.

시계를 보니 11시 15분. 윤이설 혼자 1시간 넘게 심심하게 있었을 것을 생각하고 발길을 서둘렀다.

"없네?"

윤이설이 붕붕이 안에 보이지 않았다. 민호는 카페에 가 있나 싶어 휴대폰을 들어 통화를 눌렀다. 신호음만 갈 뿐 받지 않아 걱정이 이는 찰나, 교정 한쪽의 잔디밭에 꽤 많은 사람이 앉아 있는 것을 발견했다.

'어?'

윤이설이 그 가운데 벤치에 앉아 기타를 연주 중이었다. 그녀가 노래를 부르니 캠퍼스를 거닐던 이들이 모여든 모양이었다.

잔디밭으로 향하던 민호는 휴대폰이 울리며 '공 매니저'의 이름이 떠올라 얼른 귀에 댔다.

-민호 씨!

"네, 매니저님."

조금은 다급한 기색의 목소리에 의문을 느끼는 가운데 공 매니저의 질문이 이어졌다.

-혹시 지금 지방에 계십니까?

"맞아요, 경북 쪽에 있어요. 어라? 말씀 안 드렸는데 어떻게 아셨어요?"

-SNS에 민호 씨와 이설 씨 사진이 올라왔습니다.

민호는 휴게소에서의 일을 떠올리고 고개를 끄덕였다.

"오다가 사람들을 마주치긴 했어요."

분명히 공 매니저의 매뉴얼을 따라 사람들을 대했다.

-실례지만 두 분이 무슨 일로 가신 거죠? 원래는 Once에서의 스케줄로 알고 있었습니다.

"제 개인적인 볼일 때문에요. 이설이는 곡이 잘 안 풀린다고 바람 쐬고 싶어 해서 같이 왔어요. 그런데 무슨 문제라도……."

-연예부 기자 하나가 클릭수 올릴 용도로 오해를 살 법한 열애설 기사를 작성했습니다.

"열애설이요?"

민호의 눈이 커졌다.

-강민호 씨와 윤이설 씨가 홍대 클럽에서 밤늦게 눈에

띈다는 둥, 부정적인 어조로 교묘히 말을 섞어서 이것이 검색어에 오를 조짐을 보이고 있습니다. 이 기사가 화젯거리가 된다면 데뷔를 앞둔 윤이설 씨에게는 타격이 클지 모릅니다.

"사실이 아니잖아요. 진짜 사귀는 것도 아닌데."

─문제는 사람들의 오해입니다. 실제 사실보다 루머의 파급력이 더 크거든요. 사장님께서 손을 쓰고는 계시지만, SNS에 이미 두 분의 사이좋은 모습이 찍힌 터라 신빙성이 높다는 리트윗이 늘고 있는 추세입니다.

"음."

민호는 대학생들 틈에서 이런 사정은 전혀 모른 채 연주 중인 윤이설에게 시선이 머물렀다. 괜히 자신을 따라왔다가 그녀가 좋아하는 음악 활동에 마이너스가 되게 생겼다.

─아무튼, KG엔터의 정식 해명 기사부터 뿌려놓고 다시 연락드리겠습니다.

노래 중이던 윤이설이 민호를 발견하고 밝게 웃으며 시선을 마주쳐 왔다. 오는 동안 바로 옆에서 쳐다볼 때는 그리 수줍어하더니, 지금은 마냥 행복해 보인다.

말랑말랑한 작은 손으로 기타를 연주하며 음악에 폭 빠져 있는 스무 살의 아가씨. 뜬소문 따위를 담은 찌라시 기사가 감히 어찌 범접할 쏘냐! 누구든 지금 저 모습을 보면 자신과 똑같은 생각을 할······.

"잠시만요, 공 매니저님."

—네?

"사람들이 오해하지 않을 만한 일이 있으면 되는 거 아 네요?"

—무슨 방법이라도 있으신 겁니까?

"레이블 프로듀서가 저고, 이설이는 소속 가수잖아요. K 대학에서 깜짝공연. 해명 기사 말고, 저희 레이블 광고 기사 를 뿌려 주세요. 그리고……."

민호는 문화회관에서 경매 진행을 보조하던 조교수가 마 침 인문대 건물로 걸어가는 모습을 발견했다.

"달콤 한 방울, 설렘 한 방울~"

기타줄이 '따랑' 하고 튕기며 하모닉스의 청명한 음을 냈다. 부드러운 스트로크 반주와 함께 사람들의 귀를 황홀하 게 만들던 목소리가 멎었다.

지난주 Once에서 작업을 끝낸 곡, '사랑 방울'의 후렴 부 분에 취해 있었던 윤이설이 스르륵 눈을 뜨자 구경하고 있던 30여 명의 사람에게서 박수갈채가 이어졌다.

"노래 진짜 좋아요!"

"꼭 음원 사겠습니다!"

앵콜을 원하는 사람들의 눈길에 윤이설은 자리에서 일어

나 꾸벅 허리를 숙였다.

"여기까지 할게요. 모두 들어주셔서 감사해요."

기타를 챙기고 고개를 돌린 윤이설은 정작 민호가 갑자기 보이지 않아 어리둥절한 표정을 지었다. 분명 주차장 쪽에서 걸어오고 있었는데.

'한 곡 더 할까?'

고민하고 있던 윤이설의 등 뒤에서 민호가 불쑥 나타났다.

"이설아."

"오빠."

"케이스에 하모니카 있지?"

"네? 네."

민호는 그녀에게 잠깐만 기다려 보라는 눈짓을 보내고 사람들에게 고개를 돌렸다.

"오늘 문화회관에서 윤이설 양의 깜짝 쇼케이스가 있습니다. 혹시 노래를 더 듣고 싶은 분은 세미나실로 와주세요. 1시에 시작합니다."

"네에?"

이 말에 가장 놀란 건 윤이설이었다. 그녀의 기타케이스를 어깨에 맨 민호가 말했다.

"가자. 스타피스 첫 활동 준비하러."

"진짜요?"

"그럼."

임소희가 대학 측과 협의 중이긴 하지만, 조교수에게 문의해 본 결과 99.9% 가능해 보였다. 대학의 이름을 알릴 수 있는 기사가 나가는 데다가 문화회관에 오늘 잡혀 있는 행사도 더는 없으니까.

오후 1시, K대학 문화회관 세미나실.

"우와……."

어림잡아도 2백은 되어 보이는 인원에 윤이설은 눈을 동그랗게 떴다.

점심시간 교내방송까지 한 탓인지 강당에 앉을 자리가 부족할 정도로 들어차 있었다. 오전의 연주로 입소문이 돌기도 했지만, 계절학기 기간의 무료함을 잠시나마 잊을 수 있다는 생각에 찾아온 이도 많았다.

"윤이설."

앞서 들어선 민호가 강당 위를 손짓했다.

의자 달랑 두 개. 전문 음향 장비가 아닌 강의용 스피커와 연결된 기타. 윤이설의 노래를 더욱 빛내줄 사계절 형님들과 이상건의 백업도 없었다.

첫 활동 무대치고는 조악했지만, 윤이설의 마음은 든든했다. 바로 앞에서 함께 걷고 있는 민호의 등이 보였기 때문이다.

두 사람이 강당에 올라 자리에 앉았다.

하모니카를 손에 쥐고 있던 민호가 앞에 자리한 마이크를 톡톡 치더니 말했다.

"안녕하세요, 저는 강민호라고 합니다. 이 대학에 계셨던 황석공 교수님과의 아주 작은 인연으로 오늘 이곳을 방문하게 됐습니다."

"펜타스톰 강민호?"

"요새는 더 스마트에도 나오잖아."

민호를 알아본 몇몇이 웅성거렸다. 민호의 눈짓에 윤이설도 마이크에 입을 댔다.

"안녕하세요, 신인가수 윤이설입니다."

"예쁘다, 윤이설!"

"컨클 동영상 봤어요!"

남자들의 비중이 많다 보니 민호와는 반응이 사뭇 달랐다.

한차례의 소란스러움이 흘러가고 윤이설이 기타를 무릎에 올렸다. 그리고 민호에게 시선을 던졌다.

첫 곡은 음원 차트에 아직도 올라 있는 '반짝이는 별'.

그르릉~

잔잔한 기타 소리 뒤에 시작된 윤이설의 허밍은 곧바로 관객들의 마음에 감미로운 파문을 일으켰다. 민호의 하모니카가 더해지자 조악해 보이던 무대는 풋풋함과 열정이 담긴 무대로 변모해 갔다.

두 번째 곡, '다시 한 번'과 세 번째 곡, '사랑 방울'이 끝났을 때는 귀를 호강시키는 두 사람의 합주에 반하지 않은 관객이 없을 정도가 됐다.

짝짝짝!

다음 곡을 연주하기 전 손에 흥건한 땀을 닦아내던 민호는 윤이설에게 시선이 머물렀다. 최근에 계속 그녀의 하모니카를 활용해 와서 그런지는 몰라도 가슴 한구석에서 매번 느껴지던 포근한 기운이 진해지는 기분이 들었다.

'이건 누구의 감정을 공유하는 걸까?'

윤이설의 하모니카는 조금 특이한 애장품이었다. 손녀를 아끼는 할아버지의 마음이 고스란히 담겨 애장품화되어 있던 것이 윤이설에게 전해져, 그녀가 스무 살의 나이임에도 애장품을 소유할 수 있게 만들었다.

"오빠, 네 번째 곡은 '괜찮아 모두'로 할까요?"

고개를 끄덕이고 하모니카로 함께 반주해줄 부분을 떠올리던 민호는 움찔 놀라고 말았다.

하모니카가 갑자기 열을 받은 것도 아닌데 따뜻해진 것

이다.

　─이설아, 숨을 훅 들이쉬는 느낌으로. 옳지~ 아유, 우리 손녀 잘 부네.

　─헤헤. 이거 소리 디게 좋아.

　웃으면서 전주를 준비 중인 윤이설의 얼굴에 5살 남짓한 여자아이의 앳된 얼굴이 겹쳐졌다. 오똑하고 야무진 코가 무척 귀여운 아이. 거기에 백발의 노인이 정답게 아이의 머리를 쓰다듬는 환상이 이어졌다.

　그것을 따라 허공에 손을 들어 올리던 민호는 윤이설과 눈이 마주쳤다.

　"민호 오빠?"

　"아, 이설아. 시작해."

　방금, 머릿속을 스쳐 지나간 장면은 결코 민호의 경험 속에 있던 것이 아니었다. 그러나 기억은 경험한 것 이상으로 선명했다.

　'이설이의 추억?'

　아니다. 하모니카에 깃든 추억이라고 해야 옳을 것이다. 전에는 이런 적이 없었기에 살짝 당황한 민호는 번뜩 떠오르는 생각이 있어 안경집을 열었다.

　그리고 손을 댔다.

　'오!'

따끔거리는 느낌이 전혀 없었다. 이대로라면 손에 쥐고 잠을 자 꿈을 꿀 수 있다.

한껏 표정이 밝아진 민호는 간주 부분이 되자 하모니카를 손에 쥐고 흥겨운 멜로디를 연주했다. 그 흥에 윤이설도 덩달아 웃음을 지었다.

다섯 번째 곡, '느린 걸음'이 끝나고 인사를 마치자 세미나실에는 "앵콜! 앵콜!"을 외치는 소리가 가득했다.

민호는 자리에서 일어나 관객들에게 미안함을 전했다.

"죄송해요. 저희가 작업한 게 다섯 곡뿐이라 더는 들려 드릴 것이⋯⋯."

그때였다.

따랑~

윤이설이 기타 전주를 시작했다.

민호는 처음 듣는 멜로디. 뭐냐는 눈빛으로 고개를 돌렸다가 자신을 똑바로 바라보며 눈웃음을 짓고 있는 그녀를 마주했다.

"눈맞춤?"

윤이설이 고개를 끄덕였다.

"미완성이라고 하지 않았어?"

"왠지 여기서 완성할 수 있을 것 같아요."

어디로 튈지 모를 독특하면서 경쾌한 반주가 시작했다. 윤이설이 마이크에 입을 대자 앵콜을 외치던 관객들 모두가 삽시간에 잠잠해졌다.

"······눈을 쪽 맞추고 싶은 맘~"

고운 음색이 관객석 전체를 휘감았다.

민호도 잠시 넋을 잃었다.

하모니카를 손에서 떼고 있음에도 느낌이 왔다. 사랑스러운 눈을 깜박이며, 관객 모두와 시선을 맞춰 부르는 그녀의 음악은 그 자체로 이미 완성된 하나의 세계라는 것을.

---

hidden Object : 주황빛이 어려 있는 안경.

Effect : 미상.

24.
뷰티풀 마인드

안경을 손에 넣은 그날 밤.

민호는 부푼 기대와 함께 잠에 빠져들었다. 강제로 꿀잠에
빠지게 하는 취화정은 이런 날만큼은 활용도 만점! 그는 곧,
꿈인지 현실인지 구별이 되지 않는 공간 속에서 정신을 차
렸다.

'여긴…….'

가장 처음 민호의 눈에 들어온 것은 하얀 바닥 타일과 소
독약 냄새가 짙게 풍기는 복도였다.

이곳은 병원 한복판이었다. 중앙의 접수대를 오가며 바삐
움직이고 있는 의사와 간호사의 유니폼이 약간 촌스러웠기
에 과거의 어디쯤이 아닌가 싶었다.

'미션이 뭘까?'

1호 호리병과 2호 자동차를 길들일 때의 자격시험은 그리 어렵지 않았다. 그 때문인지 아버지도 자신이 얻은 것이 별거 아니라는 투로 무시했었다.

그러나 3호가 될 유품은 급이 다르다.

민호가 지금껏 경험한 그 어떤 게임에서도 좋은 아이템은 쉽게 주지 않았다. 이것 역시 마찬가지 리라. 복도 한쪽에 자리한 대형 거울에 몸을 비추어 보니 안경을 쓴 학자 스타일의 중년인이 자신을 반겼다.

보이는 정보부터 체크하던 민호는 손에 들고 있는 서류 가방 속에서 '상담파일'이란 문서 하나를 발견했다.

"박사님, 이제 오셨군요."

고개를 돌리니 의사 가운을 걸친 젊은 사내가 보였다.

"담당의 전호철입니다."

의사는 계단을 가리켰다.

"어제도 '[ ] 군'이 이유를 알 수 없는 발작을 일으켜서 4인실에서 단독 병실로 옮겼습니다. 간질을 의심하다 보호자 분께 계속 상담을 받아온 분이 있다고 하여 연락을 드렸습니다."

민호는 의사가 발음한 환자의 이름이 제대로 들리지 않는 것을 깨달았다. 마치, TV에서 부적절한 단어가 나왔을 때 삐- 처리를 하는 듯한 묵음이었다.

의사를 따라 계단을 오르며 민호는 다시 한 번 물었다.

"환자 이름이 뭐라고 하셨죠?"

" '[ ] 군' 말씀하시는 건가요?"

"아, 네."

황석공 본인의 기억 속 과거일 텐데 이름이 숨겨져 있는 것에 의아함을 느낀 민호는 손에 쥔 상담파일을 넘겨보았다. 환자 신상정보란의 이름 부분도 모자이크 처리가 된 것처럼 뿌옜다.

민호는 의식하지 않아도 정신의학에 관련된 지식이 떠오르는 것을 느끼며 문서를 빠르게 훑었다.

'정신병?'

환각, 망상 같은 것을 마주하는 만성적인 사고(思考) 장애. 환자에게 그런 병력이 있음을 추정하는 내용이 주를 이뤘다.

방 앞에 도착하자 안내해 온 의사가 말했다.

"상담 시간은 30분입니다."

민호는 그제야 대략적인 상황을 이해했다. 황 교수의 상담 경험이 미숙하던 시절 제대로 치료하지 못했던 환자에 대한 아쉬움. 이것은 그것을 달래주는 미션이 분명했다.

달칵.

문을 열고 들어서자 탁자 옆에 앉아 있는 아이의 모습이 보였다. 5살쯤 되어 보이는 똘망똘망한 인상의 사내아이였다.

"안녕."

아이는 민호의 인사에도 고개를 푹 숙인 채 도화지 위에 무언가를 열심히 그리는 행동을 멈추지 않았다. 연필을 쥐고 있는 앙증맞은 손이 쉴 새 없이 움직였다.

민호는 조용히 아이의 반대편에 앉았다.

자연스레 떠오르는 황석공 교수의 지식을 빌자면, 아이가 그리는 그림은 많은 이야기를 해준다. 말로 감정을 표현하는 것이 서툰 아이에게 그림은 치료를 위한 소통의 수단이 되기도 한다.

이 생각으로 도화지에 시선을 던진 민호는 눈이 휘둥그레졌다.

일반적으로 5살 아이가 그려야 할 삐뚤빼뚤 단순한 그림이 아니었다. 방 안의 구체적인 모습을 연필만으로 풍성하게 묘사하고 있었다. 큰 침대와 탁자, 창문의 풍경까지. 현재의 민호가 똑같이 그려 보라 해도 따라가지 못할 만큼의 수준이었다.

"잘 그리는구나."

민호의 칭찬에도 전혀 우쭐하지 않던 아이는 창문의 커튼을 마무리하고 나서야 입을 열었다.

"가져왔어?"

"응?"

아이의 물음에 의문을 표하던 민호는 혹시 몰라 서류 가방을 뒤적였다. 서류 가방의 수납 칸 뒤편의 지퍼 안, 묵직한 느낌의 물건이 들어 있었다.

12가지 색연필 세트.

"이거?"

아이의 얼굴이 밝아졌다. 아이는 색연필을 받아 들더니 도화지 위에 덧그림을 그리기 시작했다.

그림으로 보는 아이의 심리에서 구도는 감정을 읽는 열쇠가 된다. 그림의 주제를 크게 그린다면 자신감이 풍부하고, 한쪽에 치우쳐 그린다면 위협받고 있다는 심리상태를 표출하거나 하는.

그러나 아이의 그림은 너무도 객관적이었다.

'어떻게 도와줘야 하는 거야?'

힌트를 요구한다고 팁을 주는 게임이 아니었기에 민호는 아이의 그림을 자세히 살필 수밖에 없었다.

파랑으로 채색된 작은 체구의 사람은 아이, 반대편에 빨갛게 채색된 큰 체구의 사람은 자신처럼 보였다.

방 안의 풍경에 탁자 위에 앉은 두 사람의 모습이 덧칠되는 과정만으로는 이 아이가 미술 천재일지언정 정신병이 있다고 판단할 수가 없었다.

"이건 나니?"

아이는 고개를 들었다. 그리고 말했다.

"아니."

"그럼 누군데?"

"아저씨 옆에 있잖아."

심장이 덜컥 내려앉는 소리였다. 민호는 '너 장난 진짜 재밌었다'라는 표정으로 고개를 슬쩍 돌렸다. 당연하게도 옆자리에는 아무도 없었다.

"지금은 아저씨 머리 위에 있어."

아이의 시선은 민호가 아닌 허공을 향해 있었다. 민호는 등줄기에서 소름이 돋아나는 것을 느끼며 서서히 고개를 들었다.

'없잖아!'

라고 생각하며 인상을 쓰던 민호는 이것이 징조임을 깨닫고 아차 싶었다.

"내 머리 위에 있다는 사람은 누구니?"

"날 도와줄 사람."

"도와줘?"

"응, 그런데."

아이는 누구랑 말을 하는 건지 혼자서 고개를 끄덕였다.

'허구와 현실을 구분하지 못하는 거면 정말 마음의 병이

있을 가능성이 커.'

옛날 물건이 눈에 띄는 주변 환경으로 미루어, 이 시대는 조현증과 관련된 연구가 지금처럼 체계적이지 않았을 시기였다.

어떤 도움을 주려고 해도 그것이 쉽지 않았으리라는 예상이 드는 가운데 민호는 새로운 도화지 한 장을 아이에게 내밀었다.

"내 머리 위에 있는 사람, 한번 그려봐 줄 수 있어?"

"응, 색연필도 줬으니까 그려줄게."

아이는 허공을 쳐다보며 누군가의 얼굴을 그리기 시작했다. 민호는 점차 완성되어 가는 사람의 형태를 주시하며 시간을 보냈다.

똑똑.

민호를 안내했던 의사가 문밖에서 얼굴을 들이밀었다.

"끝나셨나요?"

그림을 구경하다 보니 벌써 30분이 훌쩍 지났다.

"잠시만 기다려 주세요."

아직 얼굴의 묘사 부분이 끝나지 않았다.

의사가 말했다.

"저희 과장님 소견으로는 약물치료나 전기 치료를 고려해 보는 게 어떨까 하십니다. 미국에는 이미 사용 중인 방법이라고 하셨고요."

"그건……."

이렇게 어린아이에게 조현증이 일어난 사례는 드물다. 더군다나 임상결과도 부족할 이 시대라면 어린아이에게 쓰기에는 너무 자극적인 치료법밖에 없을 것이다. 심각한 부작용을 안고 있을지 모를 향정신성 약물은 사용을 자제해야 한다.

민호는 이 지식이 선명하게 떠오른 것을 확인하고 오늘 미션의 종착지가 다가왔음을 짐작했다. 그리고 의사에게 확실히 말했다.

"중증으로 발전하기 전까지는 약물은 배제해야 합니다. 이 아이의 증상은 부모와 주변 사람들의 도움을 동반한 정신사회적 치료를 함께해야 극복할 수 있습니다. 자칫, 트라우마를 일으켜 더 큰……."

그때였다.

풀썩.

그림을 그리고 있던 아이가 쓰러지더니 몸을 부들부들 떨기 시작했다. 살펴보니 간질 같은 신경계 질환은 절대 아니었다.

"추워! 저리 가! 싫다고!"

명확히 말을 하고 있다면 저건 망상증에 가까웠다. 민호는

아이에게 다가서다가 탁자 위의 그림을 발견하고 우뚝 멈춰
서고 말았다.

'왜 내 얼굴이⋯⋯.'

민호 본인의 얼굴이 그려져 있는 도화지에는 '도와줄 사람'
이라는 명백한 글귀도 함께 적혀 있었다.

"김 간호사, 진정제! 빨리!"

의사가 아이의 팔을 붙잡았다.

"석공 군! 정신 차려!"

민호는 아이의 이름을 듣고 움찔했다.

"그게 저 아이 이름이에요? 황석공은 전데⋯⋯."

순간 민호는 몸이 붕 뜨는 기분을 느꼈다. 흡사 몸에서 영
혼이 분리된 것처럼 허공으로 떠올랐다. 민호가 황석공이라
고 알고 있었던 박사는 민호가 몸에서 떠났음에도 그대로 움
직였다.

"의사님. 약물치료를 시작해야 할 것 같습니다. 석공이가
더는 아파하는 걸 지켜볼 수가 없습니다."

'아니라고! 이럼 황 교수님의 한을 풀 수가 없잖아!'

민호는 몽롱해지는 정신 속에서 귓속을 울리는 누군가의
목소리를 들었다.

『과거는 바꿀 수 없는 법이네. 나는 그걸 후회하지 않아.』

'황 교수님⋯⋯.'

『이 안경은 자유롭게 활용하게. 그러다 나 같은 이를 마주치게 되면 한 번쯤은 뒤돌아 봐주게나.』

민호의 의식이 저편으로 멀어졌다.

숙소의 침상에서 눈을 뜬 민호는 한동안 말을 잇지 못했다.

과거의 기억이 사실이라면 황 교수는 정신병을 안고서 지금껏 살아왔다는 말이 된다. 과격한 치료를 받았음에도 트라우마를 극복해 임상심리학계에 발자취를 남긴 저명한 교수가 됐다.

'노력의 급이 달라.'

민호는 중급의 유품이 만들어지려면 주인이 어느 정도의 노력을 기울여야 하는지를 깨닫게 되자 가슴속에 저절로 존경심이 일었다. 애정을 쏟으며 충분히 활용한 것 이상의 무언가가 담겨 있어야 급이 다른 유품도 나오는 것이다.

"잘 쓰겠습니다, 황 교수님."

나직이 중얼거린 민호는 주황빛이 사라진 안경을 기대감이 가득한 표정으로 바라보았다. 꿈속에서처럼 정신의학과 관련된 지식이 솟구친다면 그것도 나쁘지 않았다.

'착용!'

안경을 쓴 직후, 민호는 일단 도수가 맞지 않아 잠시 어지럼증을 느꼈다. 가까운 것보다는 먼 것이 볼만해 이리저리 고개를 돌리다 코를 골며 자는 가람의 침상에 눈이 머물렀다.

아직 해가 뜨지 않은 새벽녘. 방안도 어슴푸레 했으나 가람의 얼굴만큼은 또렷하게 보였다.

'헐.'

다만, 그것이 파스텔 톤으로 색칠해 놓은 것 같은 그림 속 얼굴이라는 것이 문제였다. 안경을 슬쩍 내리고 보니 원래의 얼굴이었다.

사람이 그림으로 보이는 환상을 겪는 것. 그러나 이건 결코 꿈에서처럼 정신병을 동반한 문제가 아니었다.

동화 나라의 캐릭터인 것마냥 그림이 되어버린 가람의 얼굴 위로 색연필이 휙휙 움직이며 채색이 시작됐다. 청량한 녹색 화장을 덧칠하고 나니 숲 속의 곰 한 마리가 누워 있는 모습처럼 보였다.

피식 웃던 민호가 중얼거렸다.

"근데 이게 무슨 효과래?"

말이 끝나기 무섭게 도화지 위에 색연필로 쓴 친절한 설명이 떠올랐다.

『안정적이고 편안함.』

'어?'

가람의 머리맡에 있던 알람시계가 6시가 되자 '따르릉'거리며 울려왔다. 움찔 놀란 가람이 벌떡 일어났다.

안경을 통해 보고 있는 그림의 채색이 차분한 회색으로 변했다.

『무기력함.』

하품을 한차례 하고 기지개를 켠 가람이 배를 통 두드리며 아침 운동에 대한 전의를 다졌다. 안경 너머의 채색이 따뜻한 주황색으로 물들었다.

『활기참.』

'오호! 이런 거군.'

한평생 마음의 병과 관련된 임상진단기술 연구에 매진한 황 교수의 능력이 안경에 고스란히 담겨 있는 느낌이었다.

"민호 형, 일어나셨네요? 오늘은 달리실 거죠?"

주황 곰 한 마리가 어기적어기적 다가와 민호는 움찔 놀랐다.

"그럼. 가자."

"어? 근데 웬 안경?"

가람이 안경을 쓰고 있는 민호를 보며 고개를 갸웃했다.

"어때? 어울려 보이냐?"

"테가 무지 비싸 보여요. 명품? 저도 한 번만 써볼게요."

저 큰 얼굴에 이 안경을 우겨 넣으면 테가 부러질 위험이
컸다.

"따샤!"

"악!"

가람의 얼굴이 붉게 채색되며 『열정과 아픔』이 떠올랐다
사라졌다.

"네 얼굴에 안 맞으니까 건드릴 생각도 하지 마."

8시 정각.

민호는 출근을 위해 밴에 올라섰다.

"좋은 아침입니다!"

언제나처럼 상쾌한 인사를 건네 오는 공 매니저는 『정열』
이 그득한 얼굴이었다. 그에 반해 김 코디는 『긴장과 불안』이
함께 어린 표정이었다.

"응? 시완아, 너 어디 안 좋아?"

민호의 물음에 김 코디는 배를 붙잡으며 미간을 찌푸렸다.

"장염이 와서요. 그래도 버틸 만해요."

민호는 김 코디를 안쓰럽다는 듯 바라보다가 안경 너머의
그림에 검누른색이 칠해지는 것을 보고 움찔 놀랐다.

"야, 괜찮겠어?"

김 코디의 안색이 흙빛이 됐다.

"자, 잠시만. 저 화장실 좀 써도 될까요?"

"올라가서 오른쪽이야."

김 코디가 숙소로 뛰어 올라갔다. 공 매니저는 그것을 보며 혀를 찼다.

"몸 관리를 잘해야지. 아무거나 맛있다고 막 먹어대니 저럽니다."

고개를 돌리던 공 매니저는 민호가 안경을 착용하고 있는 것을 보고 놀라서 물었다.

"그 안경은 뭐죠? 민호 씨 혹시 시력이 나빠지기라도 하신 겁니까?"

"그냥 눈 보호 용도로 샀어요."

"지적인 게 잘 어울립니다."

"뭘요."

칭찬하는 공 매니저의 색은 계속해서 『열정과 정열』이었다. 감정만 살펴봐도 기운이 너무 넘쳤다.

민호는 안경을 벗으며 다 좋은데 도수가 안 맞아 어질어질한 것이 문제라는 생각이 들었다. 1분 이상 쓰면 피로감이 장난이 아니었다. 그렇다고 안경알을 교체할 수도 없고. 능력이 재미있으니 그냥 쓸 수밖에.

김 코디가 돌아오기까지 이번 주 스케줄에 대한 이런저런 의견을 나누다 내일 있을 노트북 광고 촬영에 대한 이야기가 나왔다.

"저 말고도 계약한 모델이 여럿 있다고요?"

"저쪽 사장님이 워낙에 물량을 좋아하셔서. 대박 날 수 있는 광고를 찍으라고 지난주에 콘티를 엎었답니다. 사장님이 계약과 다르다고 거절하셨는데 여주인공을 KG엔터의 식구로 써주겠다는 조건을 걸어서 말이죠."

"끼워팔기 같은 거군요?"

"민호 씨 주가가 연일 오르고 있다는 방증이죠. 저쪽에서도 그걸 활용하지 않는 건 마이너스거든요. 아무튼 페이는 더 올라서 민호 씨에게는 호재입니다."

공 매니저는 아침에 뽑아온 자료를 내밀었다.

"요즘 인기를 끌고 있는 영화를 살짝 패러디할 모양입니다."

민호는 '퀸스맨'이라는 CF 콘티를 보며 미간을 긁적였다. 스마트한 프로 게이머가 사용하는 스마트한 노트북이라는 애초의 콘티는 온데간데없고, 이건 완전 액션 블록버스터였다.

"사장님께서는 민호 씨가 검토해 보고, 안 된다 싶으시면 거절해도 된다고 하셨습니다."

"큰 건이잖아요. 그리고 첩보원 연기란 말이죠?"

민호는 주머니 속에 든 반지를 툭 치며 말했다.

"정극 톤으로는 가능할지도 몰라요. 참, 여주인공은 정해졌어요?"

"오후 광고 미팅 전까지 정할 예정입니다만, 얼핏 듣기로 오소라 씨가 유력하다고 알려졌습니다."

"오, 소라가요?"

PS 그룹 본사 입구는 해외파 축구 선수로 유명한 미남 선수의 등장에 일대가 혼란에 빠졌다.

"꺄악! 민우 오빠!"

"이쪽이에요! 이쪽! 사인 좀 해주세요!"

소녀팬들을 막는 경호원들이 양쪽으로 늘어선 가운데 박민우를 맞이하기 위한 회사의 중역들이 앞다퉈 달려 나갔다.

차에서 내린 박민우는 양옆을 살피며 눈살을 찌푸렸다.

"상당히 시끄럽군요. 조용히 계약하고 싶다고 했잖아요."

툭 내뱉는 박민우의 말에 중역진에서 가장 앞에 서 있던 지영철 상무가 멋쩍은 웃음을 지었다.

"이거 죄송하게 됐습니다. 홍보부에 그렇게 비밀로 해달라고 했는데 계약 건이 새어 나간 통에 말입니다."

"이런 식이면 재미없습니다."

"섭섭지 않게 대우해 드릴 테니 기분 푸십시오."

지 상무의 손이 빌딩을 향했다.

"이쪽으로 오시죠, 박민우 선수."

세련된 외형을 가진 PS 빌딩의 중앙 부근.

민호는 아래쪽이 훤하게 들여다보이는 큰 유리창 앞에 서 있었다. 소란스러운 입구를 내려다보고 있던 그는 중역들에게 둘러싸여 들어오고 있는 한 축구 선수에게 시선을 고정했다.

프리미어리그 소속의 잘나가는 미드필더. 이번 신제품 노트북 홍보를 위한 광고모델로 선정되어 자신과 함께 찍을 사람이라고 들었다.

'액션 신이 많은 CF라 운동선수도 섭외한 건가?'

민호는 코에 걸고 있던 안경 끝을 슬쩍 올렸다.

환호하고 있는 팬들을 무시한 채 건물 안으로 사라지는 박민우의 감정은 『과시와 거만』이었다.

"민호 오빠, 뭐 해요?"

등 뒤로 오소라의 목소리가 들려왔다.

민호는 홍보부와 영업부의 실무진들이 바삐 움직여 세팅 중인 회의실로 고개를 돌렸다. 그 한쪽에 앉아 있던 오소라는 『불안불안불안…….』이라는 감정을 마구 발산 중이었다.

"구경."

"아이 참, 이쪽에 빨리 앉아요."

회의장 안의 무거운 분위기와는 전혀 상관없다는 듯한 민호의 태도에 안달이 난 오소라가 그를 불렀다.

민호는 오소라의 옆에 앉았다.

"뭘 그리 긴장해?"

"긴장 안 하게 생겼어요? 첫 메이저 광곤데."

"나는 아예 첫 광곤데?"

"으이그!"

민호는 자신이 앉자마자 불안한 기색이던 오소라의 색이 조금씩 연해지는 것을 보고 킥 웃고 말았다. 『불안』이던 글자는 거의 다 사라지고 『안정』으로 변해갔다.

"안경은 또 뭐예요?"

"정장이랑 맞춰서 지적인 코디 한번 해봤어. 너도 써볼래?"

민호는 슬슬 눈이 어질어질해 안경을 집에 갈무리했다.

잠시 후, 회의장 안의 원형 탁자를 중심으로 감독과 출연진들이 하나둘 자리에 앉았다. 민호는 왼쪽 좌석에 앉은 조연 배우에게 눈인사를 건넸다.

"강민호라고 해요."

"동료2 역할의 배재훈이라고 합니다."

배재훈의 손에는 대본이 쥐어져 있었다. 이곳에 오기 전 대본을 통째로 외워 버린 민호였기에 어떤 역할인지 곧바로 이해하고 말했다.

"아, 저랑 다투는 신 있는 분이시죠? 잘 부탁드려요."

이 말에 배재훈은 '그런 게 있나?' 하고 대본을 뒤적거리기 시작했다.

민호는 평소의 괄괄함 대신 조신한 척 앉아 있는 오른편의 오소라에게 시선을 돌렸다. 안경을 쓰고 감정을 확인했을 때는 긴장해서라고 생각했는데 오늘따라 어딘지 불편해 보이는 기색이었다.

'설마, 한 달에 한 번 마법에 걸린다는 그날인가?'

이걸 직접 물어보면 그녀의 성격상 싸대기를 감당해야 할 수도 있었기에 민호는 다른 화제부터 꺼냈다.

"소라야, 너 대본은 봤어?"

"아니요."

오소라는 고개를 흔들었다.

"대사가 네 줄인가 그렇고 다 액션 신이야."

"제게요?"

"응. '훌륭한 체스 선수는 다섯 수 앞을 본다죠' 이렇게 시작해. 그럼 내가 받아치고 둘이 또 싸워. 체스 막 던지면서."

"풉. 뭐 그래요?"

"나도 몰라. 대본에 그리 나와 있어."

민호가 다음 대사까지 줄줄이 말해주자 오소라보다 옆에서 대본을 읽고 있던 배재훈의 눈이 더 휘둥그레졌다.

"소라, 너 어디 아픈 건 아니지?"

"왜요?"

"창백해 보여서. BB크림 빨인가?"

"원래 하얗거든요?"

민호는 오소라와 대화하며 불편해하던 그녀의 기색이 사라졌음을 깨닫고 그날은 아니겠다는 생각이 들었다.

그사이 홍보부의 민서야 팀장이 마이크를 잡았다.

"모두 착석해 주십시오. 지금부터 회의를……."

달칵.

문이 열리고 박민우와 지영철 상무가 들어섰다. 박민우는 휘파람을 불며 한동안 자신에게 몰린 시선을 즐겼다.

"하이~"

주로 여자 쪽을 보며 미소를 날리는 박민우의 모습에 오소라는 느끼하다는 듯 인상을 찌푸렸다.

"회의들 해. 우리 신경 쓰지 말고. 이쪽입니다, 박민우 선수."

지 상무가 상전 받들어 모시듯 박민우를 자리로 안내했다. 지 상무의 입가에는 희희낙락한 미소가 걸려있는데 국민적인 인기를 등에 업은 스타를 모셔왔다는 것에 자부심 넘치는 표정이었다.

"혼자 늦어 놓고 염치가 없네."

배재훈이 작게 중얼거렸으나 민호도 듣게 됐다.

탁자 외곽에 둘러앉아 있던 관계자들 중의 반은 경기장 아니면 마주치기 힘든 국가대표에게 선망의 시선을 보냈고, 나머지 반은 배재훈과 마찬가지로 실망했다는 눈치를 보였다.

그 와중에 민호가 갖고 있는 관심의 포인트는 국가대표 선수의 능력은 어느 정도일까 하는 부분이었다.

지난 월드컵 때 손에 땀을 쥐며 응원했을 만큼 출중한 킥을 가진 미드필더였기에 현역 국대의 실력을 경험할 수 있으면 재밌을 것 같다는 생각이 들었다.

'애장품 같은 게 있는지 촬영하다 한 번 물어 봐야지.'

중단됐던 회의는 바로 시작됐다.

민 팀장이 뒤편의 직원에게 눈짓했다. 회의장의 불빛이 어두워지며 벽의 스크린에 신제품 이미지가 떠올랐다.

"이번 광고는 주력 노트북 3라인으로, 세 특수요원이 각자의 임무에서 저희 신제품을 활용하는 콘셉트입니다. 스마트한 성능의 엣지 라인 1번 제품, 성능을 극대화한 몬스터 라인 2번 제품, 컬러풀한 디자인에 휴대하기 편한 콤팩트 라인 3번 제품을 모델로 삼았습니다."

광고 계획과 제품 이미지 설명이 끝나고 촬영 계획에 대한 발표가 이어졌다. 기존의 간단한 촬영에서 물량공세를 퍼붓는 촬영으로 변한 만큼 시간 역시 늘어났다.

'48시간 꽉꽉?'

민호는 내일부터 빠듯하게 촬영되는 일정표를 보며 놀라서 중얼거렸다.

"잠은 다 잤다 이건가?"

"그건 감수해야죠. 얼마짜리 광곤데."

"엄청 피곤하겠어."

"어머, 이틀 갖고?"

바쁜 행사로 단련된 오소라에겐 아무것도 아닌 일 같아 보여 민호는 '오' 하며 박수를 보냈다.

"차에서 이동할 때 틈틈이 눈 붙이면 버틸 만해요. 촬영 사이사이에 자투리 시간도 남을 테고."

오소라의 팁 아닌 팁에 민호는 짧게 한숨을 내뱉었다.

"나 일요일이 펜타스톰 결승이야. 너도 그날 행사라며?"

"맞다, 17일."

결승 바로 전날까지 밤샘 촬영이면, 사실상 마무리 연습할 시간은 오늘밖에 없었다. 하루라더니 이틀로 늘어난 것도 컸지만, 애초에 두둑한 계약금과 공중파 황금시간대의 TV 광고라는 매력적인 조건에 혹한 것이 문제였다.

이렇게 빠듯한 스케줄이라면 결승전도 100프로 장담할 수가 없었다. 그나마 다행인 것은 결승 시각이 저녁 7시라는 것. 부산으로 가는 동안 취화정으로 컨디션만큼은 복구할 수 있을 것이다.

민호는 후배들에게 부탁해 밤에 달려야겠다는 생각으로 대화방에 문자부터 올렸다.

[오늘 밤 지옥훈련. 끝나고 소고기 쏜다.]

문자를 쓰는 와중에 오소라의 나직한 음성이 들렸다.

"그래도 저는 부산까지 가는 시간동안 눈 붙이면 돼요. 오빠도 슬슬 차에서 자는 게 익숙해져야 할걸요?"

"에휴, 그래야겠네."

"저만큼 되려면 멀었겠지만요."

어깨를 으쓱 자랑하는 오소라에 민호가 빙긋 웃었다.

"그것도 그래. 소라 너처럼 아무 데서나 침 막 흘리면서 잘 수 있는 경지가 되려면 어찌 해야 해?"

농담 섞인 민호의 물음에 왼편의 배재훈도 입을 가리며 웃었다.

"제가 언제요?"

오소라가 발끈하자 민호는 오늘 택한 조신한 콘셉트를 지키라는 눈짓을 해보였다.

"아무튼 그런 적 없어요."

"어디보자."

민호는 휴대폰에서 사진첩 아이콘을 눌렀다.

"넋이 나가 있는 사진을 찍은 게 어디 있을……."

"야."

오소라가 민호의 팔을 척 붙잡았다. 반사적인 행동이었으나 곧 주위의 눈치를 보며 부드럽게 말했다.

"회의 아직 안 끝났거든요. 매너 좀 지켜요, 오빠."

그녀는 덧붙였다. '끝나면 죽을 수도 있으니 알아서 생각'이라고. 속으로만.

민호는 물론 눈빛으로 그것을 전해 받았기에 입을 꾹 닫고 고개만 끄덕였다.

'이래야 소라지.'

평소의 그녀와 다시 만나자 전쟁통에 헤어진 전우와 조우한 것처럼 웃음이 나오는 민호였다.

AM 06:30.

여느 때였다면 주간 마지막 스케줄이라 생각하고 즐거운 마음이 됐을 금요일 아침. 민호는 하품과 함께 촬영장에 들어섰다. 새벽까지 훈련을 하고 고작 두 시간만 눈을 붙인 까닭에 취화정도 커버할 수 없는 피곤이 온몸을 엄습해 온 상황이었다.

"민호 씨."

어제 회의가 끝나고 인사를 나누었던 CF 감독 정봄이 민호를 불렀다. 저 사내는 감각적인 영상미로 CF계에서는 유명한 이였다.

"잘 부탁해용~"

"잘 부탁드려요, 감독님."

서른이 넘은 이 치고는 애 같은 말투였으나 동글동글한 얼굴형에 귀여운 인상인 터라 오히려 어울려 보였다.

민호의 인사가 끝나자 정 감독은 바로 준비해야 할 것을 요구했다.

"인물 소개 컷부터 바로 갈 테니 스턴트 팀과 합을 맞춰 줘요. 민호 씨 동작은 어려운 것보다는 얼굴이랑 자세 위주로 갈 거니까 너무 걱정 말고. 그럼 리허설 때 봐용~"

민호는 세트를 정비중인 스튜디오를 보며 고개를 끄덕였다.

제품 3개 중에 스마트한 노트북을 광고하는 자신의 역할은 영화로 따지면 신사적인 첩보요원이었다. 오소라는 섹시미를 강조하는 여전사의 느낌. 민호는 자신의 촬영보다 오소라가 촬영 때 입을 의상부터 기대가 들었다. 이틀간 눈요기는 실컷 하게 생겼다.

"강민호 씨?"

건장한 체격의 사내 둘이 민호에게 다가왔다.

"스턴트 팀 분들인가요?"

"네, 저는 김우혁. 이쪽은 이강철입니다."

두 사람은 한눈에 봐도 단련이 되어 있는 몸집이었다.

"민호 씨 운동 같은 거 하신 적 없죠?"

김우혁의 물음에 민호는 고개를 끄덕였다. 고작 열흘 정도 체력 단련을 한 것만으로는 저 우락부락한 근육에 비할 바가 아니었다.

민호의 아래 위를 훑어본 이강철이 김우혁에게 말했다.

"거칠게는 못 하겠네. 배우가 아니시라 그런지 몸이 호리 호리 하셔."

"B안으로 가야지."

잘 모르는 민호는 그저 고개만 끄덕일 뿐이었다.

그들을 따라 넓은 장소로 움직이며 인물 소개 컷을 촬영할 세트장을 살펴보았다.

강남 어딘가의 바처럼 꾸며진 장소.

지금 촬영할 것은 저 안에서 타깃을 노리며 술을 즐기는 척하다, 타깃의 보디가드 두 명과 조우해 단번에 눕힌 뒤 옆 의 여인에게 윙크를 날리는 장면이었다.

"저희가 먼저 공격하면, 민호 씨는 이런 식으로."

김우혁이 이강철의 몸을 빌어 차근차근 설명해 주었다.

"막고, 주먹 뻗고, 몸 빙글."

김우혁이 주먹을 뻗기만 해도 이강철이 알아서 화려하게 넘어져 주는 무척 과장된 몸짓이었다.

"다시 막고, 팔꿈치. 그럼 이번에는 제가 쓰러져요."

민호는 어디선가 '격투 신은 맞는 사람이 더 잘해줘야 산다'는 말을 들어 봤기에 가만히 경청했다.

바닥에 넘어져 있던 이강철이 일어나며 말했다.

"저희가 총을 들고 있어서 좀 무서우실 수 있어요. 소품이긴 하지만 진짜처럼 칠해놨거든요. 구조도 비슷하고."

스턴트맨 둘 다 이미 보디가드의 복장을 입고 있었기에 민호의 시선은 가슴팍의 총집을 향했다. 민호는 주머니에서 반지를 꺼내 손가락에 차며 말했다.

"실제로 하게 되면 적응은 잘할 거예요. 제가 보기보다는 스파이에 대한 감이 있어서요."

미리 밝혀 두려는데 이강철이 '쿡' 웃었다. 그리고 김우혁을 향해 모종의 눈짓을 보냈다.

"글쎄요. 면전에 들이대면 눈을 깜박이시는 분이 많더라고요. 이렇게……."

이강철이 총집에서 권총을 뽑아 '철컥' 하는 장전 소리를 냈다. 그리고 갑작스레 민호의 얼굴을 향해 들이댔다.

찌릿.

민호는 본능적으로 다가오는 권총의 윗부분을 붙잡고 아래로 휙 꺾었다. 반격을 해오리라 예상 못 했던 이강철이 "헛!" 하는 신음을 내뱉는 사이, 민호의 왼 손바닥이 상대의 옆구리를 파고들었다.

팡!

간 부분이 짧은 충격에 진탕되어 비틀거리는 이강철. 민호는 그를 바닥을 뒹굴게 놓아 둔 뒤, 뒤늦게 권총을 빼 올리고 있던 김우혁에게 단박에 접근해 몸을 빙글 돌렸다.

여기까지 걸린 시간은 채 1초에 불과했다.

민호는 반사신경이 극대화되어 김우혁이 아직 총을 올리는 동작 다음에 반응하지 못하고 있음을 감각적으로 알아챘다. 총열 부분을 붙잡고 스릉~ 하는 소리와 함께 절묘하게 분리해 버리고 오른 주먹으로 김우혁의 미간을 내질렀다.

"흡!"

김우혁이 신음을 삼키며 눈을 질끈 감았다.

민호는 위험요소가 사라진 그 순간, 딱 거기서 동작을 멈췄다. 그리고 나서 바닥에 텅 쓰러진 이강철에게 시선이 머물렀다.

'뜨아악!'

위기감을 느끼자마자 반지를 통해 발현된 요원의 본능에

민호는 당황에 빠졌다. 다행히 지금 것은 제압 기술일 뿐 살상용이 아니었다. 그럼에도 옆구리를 부여잡고 아파하는 이강철을 보며 민호는 속으로 혀를 찰 수밖에 없었다.

"커험. 험."

민호가 헛기침하며 물러섰다. 꼼짝없이 얻어맞을 것이라 생각하고 있던 김우혁이 감았던 눈을 떴다.

"막고, 주먹 뻗고, 몸 빙글. 이거 맞죠? 가르쳐 주신 대로 하니 그냥이네요. 역시, 국내 최고의 액션 스쿨 분들인가 봐요."

국내 최고인지 세계 최고인지 알게 뭐냐만은, 민호는 일단 수습부터 감행했다.

"그, 그게……."

김우혁은 말문이 막혔고, 이강철은 부끄러웠는지 아픔이 채 가시지도 않았는데 벌떡 일어섰다.

민호는 이강철에게 물었다.

"괜찮으세요?"

"그럼요. 이 정도는 일상입니다."

가까스로 정신을 차린 김우혁이 말했다.

"민호 씨 동작이 엄청 날렵한데, A안으로 가도 될 것 같아요."

"그래요?"

이후의 훈련은 일사천리였다. 더 복잡한 합을 맞추는 몸싸움을 짰으나 민호는 전혀 무리 없이 기억하고 흉내 내고, 오히려 더 민첩하게 수행해 냈다.

김우혁과 이강철은 감탄을 거듭했다.

"리허설 준비해 주세요! 10분 뒤에 시작합니다. 민호 씨, 메이크업."

한 스태프의 말에 훈련이 끝났다.

"민호 오빠."

스튜디오 한쪽에 위치한 메이크업룸에는 오소라가 와있었다.

"어? 소라야."

그녀의 눈가가 시퍼랬기에 멍이든 줄 알고 놀란 민호는 다시 보니 다크써클임을 확인하고 물었다.

"밤에 안 잤어? 눈이 푸르댕댕이야."

"목요일이었잖아요. 음방 뛰고 숙소에 가면 새벽 1시예요."

민호는 오소라 옆에 털썩 앉았다. 그가 앉자 스타일리스트가 바로 와서 머리를 매만지기 시작했다.

"그러는 오빠도 피곤해 보이는데요?"

"후, 2시간 잤어 나도. 오늘은 어째 시작부터 힘들다."

율치리에서 황 노인 덕분에 마을 잔치를 하고 함께 쭉 뻗어 버렸던 그날이 떠오르는 순간이었다.

"오빠. 혹시…… 어제 난 기사 봤어요?"

"응? 뭐가?"

"아녜요."

머뭇하며 고개를 돌린 오소라는 스타일리스트에게 왼쪽 머리를 더 말아 줄 것을 주문했다.

민호는 유난히 창백해 보이는 오소라의 얼굴을 보며 뭔가 자세히 묻고 싶었으나 "5분 남았습니다!"라는 외부의 목소리에 옷을 갈아입기 위해 움직여야 했다.

AM 7:00.

송도하의 시선이 카메라의 리허설 동선을 체크 중인 강민호를 향했다.

"저 샌님이 너희 총을 빼앗았다고?"

액션스쿨 'SSONG'의 대표이자 저명한 스턴트 감독이기도 한 송도하는 두 후배를 보며 정말이냐는 표정을 지었다.

"속도가 장난 아니었다고요. 제 말은, 정말 미친 듯이 빨랐어요. 딱 효과적으로 손을 쓰는 게 뭔가 배운 거 같았다고요."

이강철의 말에 김우혁은 고개를 흔들었다.

"그 정도는 아니었어."

"눈만 깜박이던 주제에."

"자빠졌던 주제에."

스턴트 경력 5년 차 후배들의 다툼에 송도하는 껄껄 웃었다.

"그리고 너희 둘은 동시에 총을 빼앗겼고."

송도하의 시선은 다시금 강민호를 향했다. 두 후배의 말이 사실인지 아닌지는 촬영하는 것을 보면 알 수 있으리라.

《TAKE 1-1 강민호 소개 컷》

잔잔한 클래식 음악이 흐를 것 같은 바에 앉아 조용히 술잔을 기울이고 있는 민호. 그 모습은 십여 대의 카메라에 한꺼번에 담겨 모니터링 화면에 그대로 쏘아졌다.

"분위기 좋고. 타깃 등장!"

정 감독의 신호에 바의 입구로 한 사람이 걸어 들어왔다.

건달 같은 모습을 하고 있으나 옷은 때깔 나게 차려입은 대기업의 산업스파이 L. 촬영 내내 요원 세 사람을 상대로 계속 도망치고, 당하는 척하다 또 도망칠 적이었다.

민호는 타깃의 움직임을 슬쩍 살폈다. 그 눈빛의 각도를 정면의 카메라가 클로즈업으로 담았다. 그리고 기다렸다는 듯 건너편 바에 앉은 미모의 모델과 시선을 마주쳤다.

"혼자 오셨나요?"

'전혀 당황하지 않고'라는 대본의 행동지침을 지키며 민호가 물었다. 모델은 도도한 표정으로 핑크빛 칵테일 잔에 입술을 댔다.

"그러는 그쪽은요?"

이후, 잘생김을 뽐내는 과장되고 느끼한 미소를 짓는 것이 대본상 나와 있는 다음 행동이었다. 그러나 민호는 부담스럽지 않은 정도의 미소만 머금은 채 말했다.

"마찬가지입니다. 조용히 마실 때는 혼자가 편하거든요."

다시 정면으로 고개를 돌린 민호는 술 색이 나는 음료를 담담히 목으로 넘겼다. 여자를 꾀려는 게 아니라는 시크함. 삶에 여유가 있는 부유한 남자로 분한 민호의 연기가 이어졌다.

'NG 안 부르네. 이 정도 연기 톤이면 괜찮다는 신호겠지?'

민호는 일부러 다른 행동을 한 게 아니라 착용 중인 반지에 깃든 요원의 지침을 따라 행동 중이었다. 실제 요원의 훈련 중엔 적국에 침투해 정보원을 포섭하는 요령에 대한 수칙이 있다. 그중 하나는 튀지 말아야 한다는 것이었다.

평소에도 이 바의 분위기를 즐기러 오는 사람처럼 자연스러운 행동이 중요하다. 할리우드 영화에 등장하는 배우처럼 화려하고 잘생긴 스파이는 실제에선 거의 존재하지 않는다.

브래드 피트나 장동건이 국경을 넘으려 든다면 누구라도 한 번씩은 쳐다보게 되어 있으니까.

베테랑 연기자가 아닌 만큼 모든 촬영은 반지의 감을 전적으로 따른다.

이것이 오늘 민호가 정한 연기 가이드라인이었다.

L이 VIP석에 앉자 웨이트리스가 다가와 주문을 받는 척 쪽지 하나를 건넸다.

-미행이 있다. 거래는 다음 장소에서.

L의 표정이 급변했다. '빠밤!' 하는 효과음과 함께 주위를 둘러보는 장면이 이어졌다. 바에 앉아 있는 수십의 엑스트라를 살피며 입술을 부르르 떠는 모습. 조연임에도 연기력은 훌륭했다.

자리에서 일어난 L이 황급히 빠져나갔다.

지켜보고 있던 민호는 잔을 내려놓고 뒤따라가기 위해 움직였다. 그러나 웨이트리스의 손짓으로 나타난 보디가드 두 명 때문에 길이 가로막혔다.

이후는 방금 합을 맞췄던 액션이 이어졌다.

총을 들고 물러서라고 위협을 가하는 이강철의 팔을 내리치며 번개같이 권총을 빼앗았다. 동시에 타닥! 하는 짧은 이격을 가슴에 꽂아 넣자 이강철이 중심을 잃었다. 그 기세를 빌려 반대편에서 달려드는 김우혁에게 이강철을 밀었다.

"뭐 이리 빨라?"

모니터에 집중하고 있던 정 감독은 순식간에 지나가는 액션 호흡에 눈이 휘둥그레졌다.

그사이, 이강철을 피해 몸을 비튼 김우혁이 권총을 빼 들었다. 막 민호의 얼굴에 총을 발사하려는 찰나. 의자를 밟고 뛰어올라 허공에서 몸을 반 바퀴 회전시키는 민호의 현란한 발차기가 이어졌다.

쿠당탕!

연습 때보다 더욱 리얼하게 넘어져 주는 두 사람 덕분에 장면이 확 살았다. 특히 가까이서 핸드헬드기법으로 촬영 중이던 카메라맨은 감탄까지 터트렸다.

촬영을 지켜보고 있던 모두가 마무리 장면을 기대하며 민호에게 시선을 집중했다.

'음, 윙크 말고 다른 거?'

본래는 놀라고 있는 모델에게 윙크를 날리는 클로즈업 신이 예정되어 있었으나 민호는 반지가 시키는 본능을 따랐다.

마셨던 잔 옆에 빼앗은 총을 올려둔 민호. 그리고 건너편의 모델을 보며 말했다.

"이번 잔은 제가 사죠. 그쪽을 보니 둘이 오는 것도 나쁘지 않다는 생각이 드네요."

잔 옆에 수표를 하나 올리고 유유히 바를 떠났다.

'근데 이건 진짜 꼬시려는 것 같잖아.'

차라리 느끼한 윙크가 건전하다는 기분이랄까. 민호는 고도의 훈련을 받았음에도 바람기만큼은 할리우드 영화 주인공 못지않은 반지의 주인이 어떤 면에서는 대단하다는 생각이 들었다.

"컷!"

정 감독이 얼굴을 활짝 피며 엄지를 들었다.

"액션 좋고 애드립 좋아!"

민호는 탁자와 함께 나뒹굴었던 김우혁에게 손을 내밀었다.

"괜찮으세요?"

"그럼요."

이골이 나 있다는 듯 어깨를 툭툭 터는 김우혁. 더 멀리 나자빠져 있던 이강철도 일어서더니 "한 번에 끝나서 다행입니다"라고 고마워했다.

세트장을 나서는 민호에게 스턴트감독 송도하가 다가왔다.

"강민호 씨."

"송 감독님이시죠?"

민호는 어제의 회의에서 송도하에게 액션 신을 찍을 때 주의할 점에 대해 자세히 들었기에 바로 알아보고 인사했다.

송도하는 오자마자 민호의 체격을 훑어보더니 물었다.

"민호 씨, 스턴트 배워본 적 있어요?"

"정식으로 배운 적은 없지만, 개인적으로 운동할 때 가끔 흉내는 내봤어요."

어쩌면 놀랄지도 모르겠다는 생각에 미리 생각해 놓은 변명이었다. 송도하는 그럼에도 놀랐다는 표정으로 말했다.

"타고난 액션 배우네. 첫 격돌에서 강철이한테 두 방 파박 먹였을 때. 우리 애들한테 그렇게 강조해도 안 나오는 진심이 보이더군요. 나 진짜 요원 보는 줄 알았잖아."

송도하는 뒤따라 나온 김우혁과 이강철에게 말했다.

"야, 봐봐. 이래서 너희가 배우가 아니라 스턴트를 하는 거야. 액션 아무리 잘해도 연기가 뒷받침돼야 해, 연기가."

"저⋯⋯."

민호는 오해는 풀어야겠다 싶어 나직이 말했다.

"배우가 아니라 펜타스톰 프로게이머입니다만."

고개를 돌린 송도하는 잘못 들었나 싶어 귀를 후볐다.

"프, 프로 뭐요?"

"요즘은 예능 방송을 더 많이 하긴 하지만요."

영화와 스턴트. 오로지 두 가지에만 관심을 쏟으며 지내온 액션바보 송도하에게 젊은이들에게 인기가 높은 펜타스톰과 e스포츠는 저 먼 외국의 단어가 아닐 수 없었다.

AM 08:30.

두 번째 신으로 예정된 박민우의 촬영이 갑자기 딜레이가
됐다. 원인은 주연의 지각.

정 감독은 인상을 찌푸렸으나 촬영 일정을 조정하는 것으
로 일단 넘어갔다.

"소라 씨 캐릭터 컷 촬영하겠습니다."

오소라의 등장에 모두가 술렁였다. 검정 가죽 크롭톱과 몸
에 쫙 붙는 팬츠. 캣우먼을 연상시키는 블랙패션에 조명이
비추자 완벽한 바디라인이 확연하게 드러났다.

지켜보던 남자 스태프들이 침을 꿀꺽 삼켰다.

민호는 정 감독 옆에 앉아 모니터를 흘끔거리는 중이었다.
말끝마다 특이한 억양을 붙이는 정 감독은 만족한다는 표정
으로 오소라에게 말했다.

"탁월해, 아주 탁월해. 소라 씨는 느낌 있게 섹시한 거 같
아용~"

정 감독이 고개를 휙 돌려 민호에게 물었다.

"민호 씨도 후끈하죠?"

"저, 저요?"

민호는 대놓고 말하기는 뭣해 괜히 안 보는 척하며 고개를
살짝 끄덕였다.

모니터 속 오소라는 블랙으로 도배해서인지 피부가 더욱

하얗게 보였다. 그것이 붉은 입술과 대비되어 남자들의 가슴을 뛰게 하는 기운을 뿜어대는 중이었다.

'팜므파탈 같아.'

저 세트장 안에는 털털하고 주먹 잘 쓰던 오소라는 온데간데없었다.

메이크업에 대해 어느 정도는 이해하게 된 지금. 민호는 저 안에 피부 톤을 밝게 만드는 온갖 화장기술이 절묘하게 숨어 있음을 알았다. 그럼에도, 인정할 수밖에 없었다.

그녀는 아이돌의 매력을 훨씬 웃도는 고혹미를 갖고 있다.

'몸매도 아주 그냥……..'

민호는 혼자 상상하긴 아까울 정도의 진한 무언가가 떠오른 통에 움찔 놀라 반지를 뺐다.

《TAKE 1-3 오소라 소개 컷》

클럽 안. 모자와 안경 코트로 몸을 가리고 있다가 갑자기 벗으며 타깃 L을 홀리는 신. L은 해롱거리다 접선자의 경고에 놀라 도주를 시작했다.

와이어를 이용한 점프로 몸을 빙글 돌려 L의 앞을 가로막는 오소라의 촬영이 끝날 즈음, 박민우가 촬영장에 나타났다.

"죄송합니다! 차가 막혀서요."

정 감독이 뿔이나 따지려는데 박민우의 뒤에서 지영철 상무가 걸어 나왔다.

"아이구. 저 신경 쓰지 말고 촬영들 하세요. 박민우 선수. 대기실은 이쪽입니다."

광고주를 등에 업은 모델에게 화를 낼 수는 없기에 정 감독은 '끙' 하는 한숨과 함께 물러나야 했다.

"10시에 박민우 촬영 들어가게 세팅해! 빨리빨리 움직여! 굼벵이처럼 뭐 하는 거야!"

애꿎은 스태프들에게 언성을 높였으나, 그 화가 스태프들을 향해 있지 않음을 알았기에 다들 조용히 촬영 준비에 들어갔다.

민호는 와이어에서 내려온 오소라에게 걸어갔다.

"멋있었어. 줄 타고 잘 뛰더라."

"그래요? 짠~"

오소라가 착지할 때 취한 동작을 선보였다.

민호는 박수를 쳐주다 오소라의 팔 동작에 뭔가 생기가 없어 보여 고개를 갸웃했다. 그러고 보니 표정도 맥이 없었다.

"소라야, 너 어디 아파?"

"아니요. 그냥 당이 좀 떨어져서 그래요."

"당?"

오소라는 메이크업 룸으로 향하며 말했다.

"이거 입는다고 어제부터 물만 먹었거든요. 보통은 관리 좀 해서 찍는데, 이건 갑자기 캐스팅된 광고라서."

쫙 달라붙는 의상을 가리키며 힘없이 웃는 그녀. 그것이 익숙해 보여 오히려 측은하게 느껴졌다. 어제도 어딘가 안 좋아 보이더니 쫄쫄 굶어서 그런 거였다.

"지금은 뭐라도 먹어야지."

"안 돼요. 뚱뚱하게 나와요. 배꼽티 입었는데 배 볼록 나 오면 캡처 사진 평생 따라다녀요. 그래서 오늘은 물도 잘 안 먹는 중이라고요."

민호는 S라인의 오소라를 보며 고개를 저었다. 남자가 보 기에는 정말 좋은 의상이나 저것을 소화하기 위해서는 쉽지 않은 노력이 동반되는 것 같았다.

"감사하는 마음으로 감상할게."

"네? 뭐가요?"

무의식중에 나온 말이었기에 민호는 멋쩍은 웃음을 지 었다. 함께 메이크업 룸으로 돌아가며 민호가 물었다.

"참, 아까는 무슨 기사를 말한 거야?"

갑작스런 질문이었는지 오소라가 당황한 표정을 지었다.

"아, 아무것도 아녜요."

"뭔데?"

"암것도 아니라니까요!"

목소리를 높이자 지나가던 스태프가 고개를 돌렸다. 오소라는 시선을 회피하며 메이크업 룸으로 사라졌다.

따라 들어가려는데 복도 끝에서 공 매니저가 걸어오는 것이 보였다.

"민호 씨!"

"매니저님."

"좀 있으면 점심이라 도시락을 사올까 합니다. 이 스튜디오 식당이 맛이 없다고 소문났거든요. 소라 씨에게도 무슨 메뉴 드실 건지 물어봐서 문자 주십시오."

민호는 고개를 끄덕이다가 오소라와의 대화가 생각나 떠나는 공 매니저를 붙잡았다.

"포만감은 있는데 칼로리는 낮고 맛은 적당한데 배는 덜 나오는 음식 같은 게 있을까요?"

"그게 뭡니까?"

"하하. 없죠. 소라한테 물어보고 문자 드릴게요."

메이크업룸으로 들어서기 전, 민호는 혹시나 해서 휴대폰을 들어 인터넷 창을 열었다. 그리고 '오소라'를 검색해 보았다.

【최근 통통해진 오소라.】

【오소라 후덕 논란, 네티즌 설왕설래.】

"어라?"

최근 기사의 제목을 본 민호는 눈이 커질 수밖에 없었다. 전혀 살이 쪘다고 생각지 못했던 터라 놀람이 더했다. 기사를 클릭해 보니 뺨이 통통한 건 맞지만, 그보다는 교묘하게 캡처된 각도 때문에 이상해 보이는 사진 한 장이 게재되어 있었다.

민호는 기사 아래의 댓글을 보며 신음을 삼켰다.

ㅡ깜짝 놀랐자나. 사진 보니 턱이 없더라. ㅎㅎ
ㄴ맞아, 관리를 안했나 봐. 살이 절대 찔 것 같지 않던 애도 살이 찌는구나…….
ㅡ헐! 이건 아이구마.

"이건 아니지."

민호는 고개를 저었다. 잠깐 나왔다 사라진 자신의 열애설 기사에 질투라도 하는 건가 하며 내심 좋아했었는데, 이런 심각한 기사 때문이었다니.

문을 열고 들어가니 오소라가 거울 앞에 앉아 있는 모습이 보였다.

"소라야."

민호의 부름에 오소라가 고개를 돌렸다. 민호는 그녀의 옆에 앉아 툭 던졌다.

"기사 봤다."

"오빠!"

오소라의 얼굴이 삽시간에 붉어졌다. 그녀가 고개를 휘저으며 중얼거렸다.

"으으, 괜히 말 꺼내서. 기사 같은 거 잘 안 보는 오빠인 거 뻔히 아는데. 아유, 증말!"

민호는 조용하라는 손짓을 보였다. 그리고 무척 진지한 표정이 되어 그녀를 불렀다.

"소라야."

"네?"

"살 뺄 생각하지 마. 지금이 딱 좋아."

"무슨 말이에요. 물만 먹고 있는 사람한테."

"바보야. 이게 하나만 알고 둘은 모르네."

민호는 아이돌 매니아로서의 확고한 지론을 펼치기 시작했다.

"사람은 각자의 매력 포인트가 있는 거야. 소라 너는, 이런 말 하기는 그렇지만 날씬하고 청순해서 좋은 게 아니야. 베이글, 글래머, 육감적인 몸매. 왜 이 어마어마한 장점을 버리려고 해?"

"그건……."

"아이돌이면 환장하는 후배들을 매일 보는 내 의견이 맞겠어? 아님, 네 몸매를 질투하는 사람들이 생각 없이 다는 댓글이 맞겠어?"

오소라는 민호의 말이 끝나자 쿡하고 웃음을 흘렸다.

"뭐야, 오빠. 악플 때문에 그렇게 심각한 거였어요?"

"응?"

"네티즌이야 마르면 말랐다. 좀 찌면 찌웠다. 적당히 안 하거든요. 그런 건 많이 들어서 신경 안 써요."

이번에는 민호가 의아한 표정을 지었다. 오소라가 말을 이었다.

"악플이라도 맞는 부분이 있잖아요. 아예 없는 사실이 아니면, 나 같아도 이렇게 냉정히 달았겠다 생각하고 넘어가죠."

오소라의 강철멘탈에 민호는 입을 딱 벌리지 않을 수 없었다.

"그럼 왜 그리 심각한 거였어?"

"그건 비밀."

하며, 뭐가 그리 웃긴지 피식거리는 오소라였다. 민호는 궁금증을 이기지 못해 슬쩍 안경집을 꺼냈다.

한 발짝 물러나 물을 마시는 척하며 안경을 쓰고 오소라에게 시선을 돌렸다. 화사한 색으로 뒤덮여 있는 그녀의 얼굴

옆에는 『수줍음』이란 감정이 함께 떠 있었다.

민호는 '헐' 하고 놀랐다. 단지 사진을 들키는 게 부끄러워서 그런 거였다니.

'뭐야, 그럼 그냥 화를 내지 왜 수줍어해?'

무시무시한 눈빛 한방이면 찍소리도 못할 텐데. 민호는 '설마 자신을 남자로 봐서?'라고 생각하다가 고개를 흔들었다. 확실하지 않은데 김칫국부터 마시는 건 쪽팔린 일이니까.

민호는 다시 안경을 갈무리하고 말했다.

"공 매니저님이 도시락 사오신대. 넌 뭐 먹을래?"

"됐어요. 오늘은 이거 하나."

오소라가 고구마 한 덩이를 화장대 위에 올렸다. 민호는 혀를 쯧쯧 찼다.

"그거 먹고, 고기도 먹어. 너 춤 많이 추는데 단백질은 괜찮잖아."

아무리 봐도 딱 좋은 몸매에서 살을 빼려 드는 건 대한민국 아이돌 남자 팬의 한 사람으로서 결사반대였다.

"봐서요, 후후."

PM 01:30.

《TAKE 2-2 강민호 오소라 접선 신》

오후의 첫 촬영은 요원 1과 요원 3의 만남을 다루는 신이
었다.

한강 근처의 한적한 공원에 앉아 한가롭게 체스를 두고
있다는 이상한 설정 속에, 민호와 오소라가 자리를 잡았다.

"후, 덥네."

민호는 옷깃을 펄럭이며 반대편의 오소라를 바라봤다. 한
낮의 땡볕에 그녀의 이마에도 송골송골 땀이 맺혔다.

"얼른 찍고 쉬자. NG 없이."

"네, 오빠."

정 감독이 "레디, 액션!"을 호령하자 오소라가 대사를 시
작했다.

체스판을 보며 무척 골몰해 있는 상황. 오소라가 말 하나
를 움직였다.

"훌륭한 체스 선수는 다섯 수 앞을 봐요."

체크메이트를 부르는 움직임. 게임을 이겼다는 자신감이
어린 오소라의 대사에 민호는 싱긋 웃으며 말을 움직였다.

"위대한 체스 선수는 한 수 앞을 보지만, 그게 언제나 올
바른 한 수지."

역으로 체크메이트를 부르는 수를 옮긴 뒤에 민호가 낮게
말했다.

"그쪽에서 타깃 L을 빼돌렸더군."

이때 오소라가 판을 엎으며 공격을 해와야 했다. 민호는 그것을 기다리며 리허설에 맞췄던 액션 합을 떠올렸다. 그러나 오소라는 다음 행동을 하지 않았다.

'소라야?'

명백한 NG 상황에 민호는 오소라를 바라보았다. 날씨가 무척 덥긴 했지만, 그녀의 이마의 맺힌 땀이 좀 흥건한 느낌이었다.

"너 어디 아프……."

"오빠, 나 어지러워서."

오소라가 눈썹을 파르르 떨더니 풀썩 쓰러졌다. 민호는 반사적으로 쓰러지는 그녀의 몸을 받아 들었다.

"소라야!"

바닥에 쓰러지기 직전 오소라를 부축해 일어선 민호는 곧바로 그녀의 목에 손을 대고 맥박을 확인했다. 반지 때문인지 순간적으로 심장에 압박을 가해 강한 응급처치를 시행하는 과정이 떠올랐다 사라졌다. 다행히도 손끝에 느껴지는 맥박은 위험한 정도까진 아니었다.

민호의 품속에서 고개를 푹 숙이고 있던 오소라가 창백해진 안색으로 고개를 들었다.

"괜찮아요, 잠깐 빈혈이 온 거라서."

팔을 붙잡고 있는 그녀의 손에는 힘이 전혀 없었다.

기운이 없고, 식은땀이 나는 증상은 저혈당 때문임이 분명
했다. 그나마 실신이나 갑작스런 쇼크 같은 중증은 아니었기
에 일단은 한숨 돌린 민호가 물었다.

"너 잘 안 먹어서 그런 거지?"

"……네."

오소라는 부끄러운 듯 고개를 끄덕이다 놀라서 다가오는
스태프들을 보며 지탱하고 있던 민호의 팔을 풀려고 했다.

"NG 나버렸네. 죄송해요, 촬영감독님. 한 번만 다시 갈
게요."

그러나 오소라의 몸이 살짝 떨리고 있는 것을 고스란히 느
끼고 있던 민호는 팔을 풀어주지 않았다. 이 와중에 몸보다
촬영 생각을 하는 것을 보면, 이 광고에 얼마나 많은 정성을
쏟고 있는지가 그대로 보였다.

'철인이네, 철인.'

민호가 손을 놓지 않자 오소라가 놀란 토끼눈이 되어 "왜
요?"라고 속삭였다. 민호는 그녀의 이마에 콩 하는 꿀밤을
먹이고 대답했다.

"저혈당이면 쉬어야지."

사람이 물조차 먹지 않고 얼마나 버틸 수 있는지에 대한
실제 훈련과 극복 과정은 반지의 감을 통해 어렴풋이나마 떠

올릴 수 있었다. 때문에 민호는 확신을 갖고 말했다.

"내가 의사는 아니지만 이 땡볕에 계속 찍으면 너 응급차에 실려간다."

민호는 오소라의 팔에 어깨를 걸어 더 단단히 부축했다. 그사이 급하게 다가선 정 감독이 민호와 오소라 앞에 섰다.

"소라 씨! 어떻게 된 거야!"

오소라가 이 광고를 제대로 해내고 싶어 하는 것을 확실히 알게 된 민호는 최대한 부드러운 웃음을 지으며 말했다.

"날이 푹푹 쪄서 더위를 먹었나 봐요. 이 신은 15분만 있다가 촬영해도 될까요?"

정 감독은 민호와 오소라를 번갈아 바라보았다. 오전에 저 둘의 촬영을 보며 때깔 나는 화면을 만들 수 있겠다는 확신을 가졌었다.

"일정이 빡빡하긴 해도, 우리 배우님들 컨디션이 좋지 않으면 CF 잘 뽑기 힘드니까."

정 감독은 파라솔 밑에 앉아 있는 요원 2, 밉상 박민우에게 시선을 돌렸다.

"그러지 말고 아예 박민우 씨 한강 질주 신부터 찍지 뭐. 저쪽은 운동선수라 아주 팔팔해."

아이스티에 빨대를 꼽아 쪽쪽 마시고 있던 박민우가 귀를 후비적거렸다.

15분 후.

나무 그늘이 져 있는 벤치에 누워 있던 오소라는 움찔 놀라 정신을 차렸다. 잠깐 쉰다고 누운 것이 정신을 놓고 자버린 모양이었다. 공 매니저님이 가져온 사탕과 초콜릿을 허겁지겁 먹었던 것이 도움이 됐는지, 머리는 무거웠지만 몸은 좀 개운한 기분이 들었다.

"깼어?"

가까이에서 들려온 목소리에 고개를 든 오소라는 고작 30㎝의 거리에 자리한 민호의 얼굴을 보고 눈이 왕방울만 해졌다. 각도를 보나 누워 있는 포즈를 보나 그의 무릎을 베고 있는 것이 분명했다.

"침 흘리고 잘까 봐 지켜주고 있는 중이야."

"아……."

당황한 오소라가 일어나려는 것을 민호의 손이 가로막았다.

"좀 더 쉬어도 돼. 박민우 선수가 NG를 계속 내서 30분은 더 걸릴 거 같다니까."

"이제 괜찮은 거 같아요."

"전혀 아닌데?"

"네?"

오소라는 안경을 쓰고 있는 민호와 눈이 마주쳤다. 그러고 보니 어제부터 왜 안경은 썼다 안 썼다 하고 그러는 건지.

가까이에서 발자국 소리가 들렸다.

"여기 있습니다, 민호 씨!"

공 매니저의 음성이었기에 오소라는 더욱 몸을 일으키려 했다.

"기다려."

바동거리는 강아지를 붙잡는 것마냥 민호의 손이 오소라의 머리를 꾹 눌렀다. 그리고 공 매니저에게 건네받은 얼음 주머니가 그녀의 이마에 올라갔다.

착.

순간적으로 찾아오는 시원함에 오소라는 몸 전체가 사르르 녹아드는 것만 같은 기분을 맛봤다.

"찾아보니 저혈당 증세에는 잘 먹고 잘 쉬는 게 최고래."

그 와중에 귓가를 파고드는 민호의 음성은 그녀의 마음을 달뜨게 만들었다.

"많이 먹으면 살쪄요."

"너, 많이 먹어본 적도 없잖아."

"오빠가 그걸 어떻게 알아요?"

민호는 그가 보고 있던 휴대폰 화면을 오소라의 눈앞에 슥 내밀었다. 그녀가 예전에 했던 인터뷰 동영상이 흘러나왔다.

ー학창 시절부터 연습생이 되어 가수 준비를 했죠. 개인적인 시간을 가질 여유도 없었고요. 계속적으로 반복되는 연습 생활을 하고, 자기 자신을 관리하는 생활을 해야 하는 건 쉽지 않은 일이에요. 삶의 낙이 없달까? 그래도 요즘은 일할 때 재미를 느껴요. 무대 위에서 춤을 출 때는 살아 있는 느낌이 들어요.

휴대폰이 사라지고 다시 민호의 얼굴이 오소라의 시야에 들어왔다. 오소라는 아무렇지도 않다는 듯 엷은 미소와 함께 말했다.

"뒷북은. 저게 언제 적 얘긴데."

"지금은 억지로 웃고 있을 필요 없어."

자신의 기분을 콕 집는 것 같은 그의 말에 오소라는 잠시 말을 잇지 못했다.

"이건 어디서 들은 말인데, 사람들의 맘에 들려고 변화하지 말래. 그냥 너 자신이 되는 거지. 올바른 사람들이라면 있는 그대로의 너를 사랑할거래."

얼음을 대고 있어서인지 이마에 물기가 흥건했다. 오소라는 물기를 닦는 척 눈 밑을 훔쳤다.

"뚱뚱해져서 인기 떨어지면 오빠가 책임질 거예요?"

"내가 왜?"

"이봐, 이봐."

"뚱뚱은 모르겠고, 지금보다 좀 더 쪘는데 인기가 안 오르면 책임질 수 있어. 이건 아이돌 매니아의 정확한 분석이야."

민호의 시선이 몸매를 훑자 오소라가 눈썹을 치켜들었다.

"어, 어딜 봐!"

"어쭈? 지금 누굴 의심하는 거야? 난 외형적인 아름다움보다 내면의 아름다움을 봐."

"자칭 아이돌 매니아가 퍽도 그러시겠네요."

"무슨! 그래서 맘 넓고, 이해심 많고, 따뜻한 사람인지 알아보기 위해…… 가슴부터 살피지. 소울, 하트. 다 거기 있다고 하잖아."

"피."

능청스러운 말을 아무렇지 않게 건네는 민호를 가만히 바라보며, 오소라는 풋 하고 웃음을 터뜨렸다. 오늘따라 유독 바람둥이 같은데 그게 싫지 않은 느낌이다.

결코 들키고 싶지 않았던 상대에게 마음속에 꽁꽁 묶어두었던 비밀 하나를 들킨 것 같은 기분이 들었지만, 지금은 왠지 이렇게 아무 생각 없이 누워 있고 싶었다.

30분이나 쉴 수 있다고 했던가? 너무 짧다.

PM 09:20. 서울 근교의 4차선 도로.

《TAKE 3-2 트럭 추격 신》

민호는 질주하는 화물 트럭 위에 올라, 정확히는 질주하는 척 중인 트럭이지만, 한 손에 노트북을 올리고 검색하는 모습을 연출 중이었다.

느린 속도임에도 중심을 잡는 게 쉽지 않아 앞에 서 있던 박민우와 뒤에 있는 두 조연 모두 이리 비틀, 저리 비틀거렸다.

그 와중에 박민우가 딱딱한 대사를 쳤다.

"강 요원. 얼마나 남았나?"

"NG!"

곧바로 정 감독의 불호령이 날아들었다. 트럭이 멈추고 정 감독이 사다리를 타고 뛰어 올라왔다.

"박민우 씨. 연기를 하려고 들지 말고 그냥 말을 해봐요. 민우 씨가 같이 뛰고 있는 팀의 동료라고 생각하고 대사를 쳐용."

"멋이 그닥 안 사는 거 같은데."

"멋은 찍는 내가 판단해요!"

기어코 언성을 높이고 내려가는 정 감독을 보며 박민우는 고개를 흔들었다.

"아우, 깐깐해. 민호 씨. 이런 촬영 계속하고 싶어?"

"NG가 또 나면 하기 싫어지겠죠."

"그렇지. 그냥 넘어가도 될 것을 왜 NG를 부르냐 이 말이지. 노답노답. 민호 씨도 좋은 경험한다고 생각해. 나 축구화 광고 찍을 때는 안 이랬거든. 지 상무가 말한 다른 제품 광고. 자꾸 이러면 다시 생각해 봐야겠어."

여러 번 NG를 낸 박민우를 비꼰 것임에도 알아듣지 못하자 민호는 속으로 신음을 삼켰다.

AM 00:55. 서울 근교의 자연공원.

《TAKE 4-1 요원간의 다툼》

"거기 서!"

풀숲 헤치고 나와 권총으로 조준하는 민호의 행동에 앞서 걷고 있던 오소라가 우뚝 멈춰 섰다. 야간 조명으로 언뜻언뜻 비치는 그녀의 실루엣은 잘록한 허리와 봉긋한 가슴이 절묘하게 드러난 명품 바디라인을 뽐냈다.

민호는 TV에 뿌려질 30초 편집본 말고, 나중에 동영상 사이트에 올라갈 풀 편집본을 꼭 챙겨봐야겠다는 생각을 하며 대사를 말했다.

"L과 접선하러 가는 건가?"

고개를 돌린 오소라는 손끝을 까딱이며 민호를 부르는 도발적인 눈빛을 보였다.

민호와 동료 두 사람이 경계하며 그녀에게 다가서는 가운데, 동료2 배재훈이 갑작스레 권총을 빼들고 동료1에게 방아쇠를 당겼다.

타앙!

동료1의 등에 장착된 화약 장치가 동시에 터지며 푹 쓰러졌다.

민호는 그사이 충분히 배재훈을 제압할 타이밍이 나왔으나 대본상 당해야 하는 신이었기에 고개를 돌리고 놀란 표정만 지었다.

"총 버려, 강민호."

민호는 양손을 들어 올리며 손에 든 권총을 바닥에 떨어뜨렸다. 배재훈이 민호를 막는 사이 오소라는 여유 있게 숲 안으로 사라졌다.

"이러지 마. L을 잡지 못하면 어떤 일이 일어나는지 너도 잘 알잖아."

배재훈은 복잡미묘한 눈빛을 한번 쏘아 보낸 뒤 말했다.

"난 항상 네 뒤에만 있어야 했어. 그러나 지금은 달라. 내가 앞에 있고, 넌 여기서 죽어."

전문 연기자의 몰입감 있는 대사에 민호는 속으로 감탄했다. 이때쯤 뛰어나와야 할 요원2 박민우를 기다리며 타이밍을 재던 중, 숲 안에서 갑작스레 비명소리가 들려왔다.

"끄아악!"

그러며 박민우가 튀어나왔다. 당연히 정 감독이 "NG!"를 외쳤다.

"뭐야? 박민우 씨. 왜 또?"

"바닥이 잘 안보여서 나뭇가지에 긁혔어요. 아, 미안합니다. 미안!"

오늘 온종일 NG맨으로 낙인 찍혔기에 박민우도 죄송하다는 눈빛으로 스태프들에게 고개를 숙였다.

민호는 의도한 것은 아니나 반지 때문에 순간 관찰력이 높아진 까닭에 박민우가 튀어나오던 상황이 머릿속에 그려졌다. 걸리적거리는 것도 없었고, 그렇다고 몸에 상처가 나 있는 것도 아니었다. 고로 방금 말은 거짓일 확률이 높다.

"저, 감독님. 이번에는 이쪽에서 나와도 되죠?"

박민우가 대기 장소를 바꿔달라고 말하자 민호는 퍼뜩 떠오르는 것이 있어 안경을 착용해 보았다. 역시, 박민우에게 현재 고통의 감정은 없었다. 오히려 『두려움』의 기색이 가득했다.

'설마 귀신같은 거 나올까 봐 무서워하는 거야?'

잠시 후.

TAKE 4-1 촬영이 마무리되고, 민호는 홀로 파라솔 아래 앉아 있는 박민우에게 다가갔다.

"오늘 고생이 많으시네요."

"후, 노답. 그냥 세트에서 찍고 말지 여긴 또 뭐래? 광고 찍으러 왔는데 저 감독은 영화를 찍고 자빠졌어."

"그래도 이렇게 공기 좋은데 나와서 자연도 보고…….'"

민호는 안경을 통해 박민우를 슬쩍 바라봤다. 『짜증』의 색만 진하게 보였다.

"……도시 생활만 할 때는 보기 힘든 것들도 많이 보이네요.'"

파라솔의 탁자 위에 메뚜기 한 마리를 올려놓았다.

박민우가 무척 당황한 표정이 되어 벌떡 일어섰다. 그러나 민호와 눈이 마주치고는 곧 아무렇지 않은 듯 어깨를 쭉 펴며 말했다.

"메뚜기? 어릴 때 시골 가면 꽤 튀겨먹었던 거지. 할아버지 댁이 산골이라 지천에 널렸거든."

무표정을 가장하고 있으나 『공포, 공포, 공포……』가 계속해서 떠오르는 박민우의 표정에 민호는 피식 웃고 말았다. 메뚜기가 파르르 날개를 펼쳤다가 폴짝 하고 수풀 사이로 사라지자 박민우의 감정도 『안도』로 바뀌었다.

"아침까지 계속 야외 촬영인데 괜찮으시겠어요?"

"뭐가?"

시치미를 뚝 떼는 박민우에게 민호가 갑자기 손가락을 들어 올렸다.

"어? 그 사마귀는 언제 어깨에 붙었데?"

"끄아악!"

몸서리치며 어깨를 털다가 입을 가리고 주위를 살피는 박민우. 당연히 사마귀는 없었다. 벌레를 무서워하는 축구영웅이라니.

"자요."

민호는 오소라에게 빌려온 벌레퇴치 스프레이를 파라솔탁자 위에 올렸다.

"효과가 있을지는 모르겠는데 그거면 마음이 조금 편해지겠죠? 다들 힘들게 촬영 중이에요. 좋은 경험 한다고 생각하세요, 박민우 선수."

박민우의 얼떨떨한 시선을 뒤로한 채, 민호는 손을 흔들며 사라졌다.

박민우가 그나마 NG를 덜 내자 촬영은 순조롭게 진행됐다.

해가 뜰 때까지 이어진 야외 촬영. 다시 세트장으로 돌아가 노트북 제품 하나하나를 들고서 심도 있게 활용하는 신을 찍고 나니 시간은 정신없이 흘렀다.

틈틈이 눈을 붙이고, 다시 촬영하고.

스태프와 모두가 지쳐갈 즈음, 정 감독이 대본을 하늘로 던지며 외쳤다.

"'퀸스맨 CF' 촬영 종료오오오!"

촬영 시작 46시간 후에 벌어진 선언이었다.

"수고하셨습니다!"

"수고하셨어요!"

거만의 표본 박민우조차 주먹을 불끈 쥐며 좋아했다.

민호는 스태프들에게 인사하며 나오다 송도하와 마주쳤다.

"민호 씨. 올 가을에 대작 영화 하나 들어가는데, 혹시 생각 있으면 연락 줘요."

하며 명함을 내밀었다.

"영화요? 저 연기 전혀 못해요."

"무슨 소리야? 내가 쭉 지켜봤잖아. 민호 씨는 타고난 액션 배우야. 천재라고."

민호는 손에 낀 반지를 보며 말했다.

"딱 이 CF에서 보여준 연기 정도로 된다면 소속사에 연락 한번 주세요."

"오케이."

드르륵.

민호는 밴에 올라타자 안도감부터 밀려들었다. 일과의 끝. 이제 편하게 자는 일만 남았다. 이 얼마나 보람 가득한 마무리란 말인가.

공 매니저와 김 코디가 뒷정리를 하고 온다고 들었기에 민호는 우선 취화정의 제조 공정에 들어갔다.

호리병 마개를 열고, 생수를 붓고, 쉐키쉐키!

"끝!"

이거 한 방울이면 저녁에 있을 결승전까지 컨디션을 최고로 끌어올릴 수 있을 터였다. 민호는 취화정이 아니더라도 곧 졸음이 몰려올 것 같아 한 방울을 넘겼다. 진한 향기와 함께 화끈거리는 액이 목을 넘어갔다.

그때, 밴의 옆문이 열리고 오소라가 들어왔다.

"어? 소라 넌 펑키라인 차 타고 가는 거 아니었어?"

"좀 일찍 끝나서 기다리기 피곤해요. 그냥 이 차 타고 간다고 했어요."

오소라가 옆자리에 앉으며 민호가 손에 쥐고 있는 것을 보았다.

"웬 호리병?"

"이거? 생수 통이야. 여기 넣어 두면 시원하거든."

다른 사람이 마시면 물이기에 대충 둘러댔다.

"목마른데 잘됐네."

오소라가 호리병을 채가려고 손을 뻗었다. 민호는 반지를 착용 중인 탓에 다가오는 손을 휙 잡아채 간단히 옆으로 꺾어 버렸다.

"아야!"

"아, 미안미안."

팔을 붙잡으며 서로의 몸이 상당히 밀착하게 됐다. 민호는 그도 모르게 아직도 CF속 팜므파탈 요원의 복장을 하고 있는 오소라의 가슴에 시선이 머물렀다.

"또 또, 오빠 보기보다 대담해요."

"자꾸 눈이 가는 걸 어떡해."

살짝 오른 취화정 기운 탓에 민호는 그런 그녀의 팔을 붙잡고 얼굴을 슥 들이밀었다.

"뭐, 뭐예요?"

"보는 게 싫으면 그렇게 섹시하게 입질 말든가."

오소라의 뺨이 확 달아올랐다.

"오빠, 지금 꼭 다른 사람 같아요."

"지금은 나도 남자거든."

반지와 취화정의 취기가 어울려 민호는 그도 모르게 이성을 유혹하는 단계를 밟았다. 피곤이 겹친 까닭에 무의식 속에 반지의 본능이 더욱 꿈틀거렸다.

"……오빠."

오소라가 눈을 감았다.

서로의 입술과 입술이 금세 맞닿을 거리까지 다가왔다. 그러나 취화정의 끝내주는 효과는 언제나 가감 없이 정직했다. 술기운이 다 돌자 민호의 전신에 형언할 수 없는 졸음이 엄습했다.

'흠냥~'

민호의 이마가 오소라의 어깨에 닿았다.

잠시 멍한 상태로 민호의 다음 행동을 기다리던 오소라는 그가 아무 움직임이 없자 슬며시 눈을 떴다. 그리고 그녀의 어깨에 기대고만 있는 민호를 발견했다.

으득.

오소라는 갑자기 확 열이 뻗쳤다.

"이게 자꾸 간만 봐. 하려면 콱 하라고!"

화를 내며 민호의 얼굴을 붙잡아 휙 올렸으나 이게 웬걸, 전혀 반응이 없었다.

"자요?"

손을 떼자마자 취화정의 효과에 녹아웃된 민호의 얼굴이 다시 툭 떨어졌다.

"진짜 자네. 으휴, 자는 걸 때릴 수도 없고."

얼마나 피곤했으면 기절해 버릴까라는 생각에 오소라는
측은한 마음까지 일었다.

오소라는 그녀의 가슴팍에 얼굴을 묻고 있는 민호를 바라
보았다. 정말 곤하게 잘도 잠을 잔다. 그것이 어이없기도 하
고, 한편으론 웃겨 그녀도 모르게 헛웃음이 나왔다.

"일어나면 두고 봐요."

민호의 고개를 붙잡아 옆 좌석에 눕혔다. 몸이 축 늘어져
있었기에 힘이 조금 들어갔고, 그러다 팔과 몸이 밀착했다.
오소라는 아주 조금, 매우 살짝, 방금 못다 한 일에 대한 아
쉬움이 생겨났다.

"아니야, 소라야. 무슨 생각하는 거야."

오소라는 먼저 들이댈 수는 없다는 여성으로서의 자존심
과 그냥 확 덮치고 싶어지는 은밀한 욕망 사이에서 잠시 갈
등했다. 그래. 몰래 하는 건 나쁜 짓!

이윽고.

오소라가 결심을 굳혔다. '하느님, 저 정직하게 살게요. 내
일 아침부터 꼭!', 그리고 민호의 뺨에 손을 댔다.

쪽.

기분 좋은 소리와 함께 민호의 입술에 닿았던 오소라의 입
술이 떨어졌다. 꿈나라 어딘가를 헤매며 행복해 보이는 얼굴

을 하고 있는 민호. 그것을 지켜보고 있던 오소라의 얼굴에도 그와 비슷한 미소가 피어났다.

✹

"바로 부산이라니, 민호 형 살인적인 스케줄이네요."

주차장으로 걸어오며 김 코디가 고개를 저었다. 앞서 걷던 공 매니저가 말했다.

"오늘 메이저 인터뷰도 하나 잡혔다."

"결승 끝나고요?"

"시완이 너 들으면 깜짝 놀랄 방송국일걸?"

"어딘데요?"

공 매니저는 밴 앞에 서서 말했다.

"BBC 알지? 영국 방송. 한국 e스포츠 문화에 대해 취재하러 왔는데 대표로 민호 씨가 선정됐어."

"진짜요? 대박. 민호 형 막 세계로 뻗어 나가겠네."

김 코디는 감탄하다 고개를 갸웃했다.

"근데 영국방송이면 영어잖아요. 민호 형, 영어 잘하시나? 통역도 오는 거죠?"

공 매니저는 싱긋 웃었다.

"우리 민호 씨는 답을 찾을 거야. 늘 그랬듯이."

"그렇겠죠?"

공 매니저와 김 코디가 가진 신뢰의 벽은 두터웠다.

달칵.

"좀 늦었습니다!"

운전석을 열고 자리에 앉은 공 매니저는 뒷좌석에서 나란히 기절 중인 두 사람에게 시선이 머물렀다. 그리고 옆 좌석의 문을 연 김 코디에게 손가락을 들어 '쉿'이란 표시를 해 보였다.

"고생하셨습니다, 두 분 다."

———————

Relic : 임상심리학자의 안경.

Effect : 타인의 감정 상태를 그림과 색으로 알 수 있다.

25.
우리는 한다 인터뷰를

무더위가 유난히 기승을 부리는 한여름 밤.

부산 광안리 해수욕장에는 한눈으로 헤아리는 것이 불가능할 정도의 인파가 몰려 있었다. 백사장 한쪽에 차려진 엔게임넷의 특설무대 위로 캐스터 한용준이 올라서자 환호가 사방으로 퍼져 나갔다.

"전국에 계신 게임 팬 여러분 안녕하십니까! 펜타스톰 섬머시즌 대망의 결승! 오늘은 모든 프로게이머가 염원하는 꿈의 무대에서 인사드립니다. 여러분도 이 광안리의 뜨거운 기운이 느껴지십니까?"

지켜보던 관객 전원이 "네!" 하고 대답했다.

"그렇다면 첫 번째 초대가수부터 만나 보시죠!"

한용준의 쾌활한 외침과 함께 폭죽이 허공을 수놓았다. 뒤이어 초대가수 에이크릿이 등장했다. 걸그룹 3대장답게 남성팬 모두 주위가 떠나가라 그녀들의 히트곡 '러브이즈 무빙'을 따라 불렀다.

"안녕하세요, 펑키라인입니다."

열기는 계속되어 두 번째 초대가수 펑키라인이 등장할 때 즈음엔 남성팬의 환호가 극에 달했다.

음악과 함께 시작된 펑키라인의 노래, '파라다이스'. 객석을 단박에 사로잡는 섹시 안무에 사내들의 늑대울음이 광안리 해변을 가득 채웠다.

"몸매 봐. 미친다, 미쳐!"

"소라 씨, 날 가져요!"

후렴 부분에서 이어지는 아찔한 댄스 동작에 정신을 붙잡고 있는 남자보다 잃고 있는 이가 더 늘어났다. 특히 KG 선수단 석에 앉은 민호의 후배들은 동시에 벌떡 일어나 괴성과 함께 광란의 응원을 펼쳤다.

감독 송대협이 혀를 찼다.

"인석들아. 민호 응원이나 그렇게 해."

땀을 줄줄 흘리면서도 힘차게 팔을 흔들어 대는 그들에게 송 감독의 타박은 전혀 귀에 들어오지 않았다.

민호는 무대 뒤편에 마련된 개인 대기실에 앉아 있었다.

"펑키라인 인기가 많이 오르긴 올랐나 봐."

에이크릿과 비교해 들려오는 환호소리의 규모가 절대 작지 않았다. 그 열기가 고스란히 전해져 민호는 후배들이 부러워졌다.

'짜식들. 눈 호강 기가 막히게 하겠네.'

선수단 석은 맨 앞자리. 민호도 무대 앞에서 구경하고 싶었지만, 지금은 멘탈을 관리는 시간이었기에 흥분해 돌아오면 자신만 손해였다.

얼마 뒤 소란스럽던 무대 건너편이 잠잠해졌다. 축하공연이 끝나고 이벤트전을 준비 중인 모양이었다. 아까 저녁을 먹기 전에 잠깐 목격한 오소라의 실력이라면, 정효림은 오늘 게이머들 사이에서 흔히 쓰는 '관광버스'에 탑승할 것이다.

'나도 준비해야지.'

민호는 고개를 휘휘 젓고 결승을 대비한 총 점검을 시작했다. 손가락과 손목에 대한 가벼운 스트레칭. 관절염은 프로게이머들 사이에선 가장 큰 적이었다. 가수가 성대 결절에 걸리는 것과 비슷하다고나 할까?

"마우스 오케이. 키보드 오케이."

이틀의 논스톱 촬영에도 취화정 덕분에 컨디션은 나쁘지 않았다. 장비 확인을 끝낸 민호의 시선이 매일 지니고 다니던 중급의 유품들을 향했다.

가보이자 문제 해결사 동전. 불안한 미래를 앞둘 때면 언제든 든든한 힘이 되어주는 회중시계. 근래에 가장 유용하게 활용 중인 요원의 반지. 그리고 며칠 전에 발견한 안경까지.

민호는 그중에 회중시계를 손에 쥐었다. 찰칵, 하고 열자마자 곧 있을 미래의 예측 상황이 눈앞에 펼쳐졌다.

'근데 이건 여기서 사용하기 좀 어려워졌어.'

주황빛의 중급 유품을 길들일 수 있게 되면서 문제 아닌 문제가 하나 생겼다. 기이하게도 기존에 활용하던 유품의 작동 시간까지 늘어나 버린 것이다.

1분간의 미래를 관람할 수 있었던 회중시계는 2분여의 미래가 보였다. 덕분에 빠르게 스쳐 지나갔던 미래의 상황도 길어져, 멍해 있는 시간이 배로 늘어났다.

범용성은 늘었으나 단 몇 초의 콘트롤 미스가 교전의 실패로 돌아올 수 있는 프로 경기에서의 활용도는 대폭 줄었다.

그래도 민호는 크게 걱정하지 않았다.

막 제대해 게임 감각이 들쭉날쭉하던 두 달 전과는 달리 지금은 취화정의 도움으로 매일매일을 최상의 상태로 살고 있었다. 게임의 승패를 속단할 수는 없지만, 그럼에도 오늘 지게 된다면 더 많은 시간을 연습에 투자한다고 이길 수 있는 상대가 아닐 것이다. 실력 차이가 그만큼 난다는 소리니까.

'앞으로 개인리그 훈련 시간은 줄여야겠어.'

시간을 효과적으로 활용할 수 있다는 것. 그럼에도 해보고 싶은 것은 수도 없이 늘었다.

우승에 목말라 했던 예전과 지금은 분명히 다르다. 열정을 쏟아부을 것들이 세상에 마구 산재해 있는 이상 하나에만 얽매이는 것은 이제 비효율적이다.

민호는 리그 우승만을 목표하는 것은 이번까지만이라는 결심을 굳혔다.

회중시계를 내려놓은 민호의 시선이 반지를 향했다. 반지 역시도 2분으로 절대기억력이 유지되는 시간이 늘었다. 시간의 제약이 없는 동전이나 한 단계 아래인 붕붕이, 취화정은 변화가 없었다.

이 부분을 아버지에게 물어보자 돌아온 대답은 '그랬었나?'였다. 자신처럼 체계적으로 유품의 등급을 기록해 가며 젊은 시절을 보낸 것이 아니기에 중급 정도의 유품을 활용한 기억이 가물가물한 듯했다.

민호는 휴대폰을 열어 지난번에 정리해 둔 것 위에 새롭게 추가된 정보들을 확인했다.

〈애장품 활용 능력의 등급〉

B : 애장품에서 손을 떼고 아주 짧은 시간 동안 본래의 능력 활용이 가능하다.

+중급 유품을 길들일 수 있다.

+제약이 있는 특정 유품의 활용 시간이 두 배가 된다.

+오랫동안 활용한 애장품의 과거사를 세밀하게 엿볼 수 있다.

〈활용 능력을 올리는 방법〉

애장품의 능력이 몸에 깃들 정도로 깊게 활용한다.

유품을 더 많이 길들여 소유한다.

윤이설의 하모니카를 통해 잠깐 보았던 추억의 장면에 대한 것도 중요한 부분이었다. 애장품의 주인을 더욱 이해하는 과정 역시 애장품 활용 능력을 키우는 데는 필수적인 일이니까.

능력의 성장이 아버지보다 빠르다고 들은 이상, 그 위 단계도 아버지만큼의 시간이 걸리지는 않으리라 예상하는 민호였다.

띠링~

정보 정리를 끝내고 휴대폰의 메모장을 닫는데 문자 하나가 왔다. 윤이설이었다.

[오빠 오늘 결승이죠? 잘하세요! *^^*]

민호는 바로 '오냐. 잘하마'라는 답장을 보냈다.

[이기면 오빠가 쏘고, 지면 제가 위로의 밥 쏠게요! 꾹꾹꾹! 암튼 파이팅!]

연이은 응원문자에 "기특한 녀석" 하며 웃던 민호는 얼마 뒤 고개를 갸웃했다. 따져보니 묘한 응원이었다. 이기던 지던 밥은 같이 먹어야 한다.

『강민호 VS 김윤열』 결승전 현장.

열대야를 피하고자 모여든 피서 인원까지 모두 10만 추산. 조명이 반짝거리는 무대 뒤편으로 그 끝이 보이지 않는 사람들이 몰려들어 대형 스크린에 시선을 던지고 있었다.

─강민호 GG! 김윤열, 두 번째 게임 승리로 기세가 바짝 올랐습니다!

구름 떼 같은 관중 앞에서 펼쳐진 광안리 대전은 강민호가 연속으로 패해 0:2의 스코어로 몰리자 그 치열한 열기가 한 풀 꺾이는 듯 보였다.

퍼펙트 스코어 패배의 위기 속에서 시작된 3세트.

올 시즌 대(對)생물군단전 7연승의 위엄에 빛나는 김윤열의 콘트롤은 완벽이라 불릴 정도로 매끄러웠다. 데뷔 이후 줄곧 우승후보에 올랐으나 정작 우승은 못 해본 천재 게이머, 칼을 잔뜩 갈고 나타난 김윤열의 매서움에 모든 이들이 강민호의 패배를 점쳤다.

그러나 승패는 끝까지 봐야 아는 법.

3세트 초반부터 안전한 운영을 택한 김윤열에게 경기 감각을 최고조로 끌어올린 강민호의 전략적인 반격이 시작됐다. 내리 4세트까지 민호가 승리를 따내자 경기 스코어는 5전 3선승의 백미, 2:2가 됐다.

게임이 마지막 세트 하나만을 남겨두자, 관객 모두 숨을 죽였다.

−김윤열. 전진 병영! 본진에서도 일꾼이 출발합니다! 우승컵을 거머쥐고야 말겠다는 과감한 의지!

민호는 정찰하자마자 움찔 놀랐다. 상대의 본진에 일꾼조차 보이지 않는다는 것은 올인 전략을 시행 중이라는 말이었다. 4경기 내내 안전한 초중반을 택했던 김윤열이 이렇게 극단적인 선택을 해올 줄이야.

－강민호. 앞마당 부화장을 취소합니다! 엄태형 해설은 어떻게 보십니까?

－반응은 빠르지만…… 글쎄요. 기계군단의 전진 병영 올인 러쉬는 알고 있어도 막기가 쉽지 않아요.

민호는 침착하게 지상병력 생산을 늘려 놓고 일꾼 전부를 입구로 향했다.

김윤열의 해병 1기와 일꾼 7마리. 민호의 일꾼 10마리 간의 피 말리는 컨트롤 싸움이 시작됐다.

－해병이 강민호의 일꾼에 잡혔습니다!

－강민호 선수의 일꾼 숫자도 적어요. 아직 모릅니다.

갑각충 2마리가 부화장에서 튀어나와 전진해서 건설된 병영 쪽으로 달렸다. 막 생산된 해병과 조우한 갑각충 2기. 본진에 난입한 기계군단의 일꾼들과 민호의 일꾼들도 혼전을 벌였다.

3시간여 동안 이어진 게임의 승부처는 단 5초의 초반 유닛 싸움으로 결정 났다.

－이게 뭡니까! 김윤열은 일꾼 1기. 강민호는 갑각충 1기

가 남았어요!

하나 남은 민호의 갑각충이 김윤열의 본진으로 달리기 시작했다.

-아! 김윤열의 일꾼이 도망치지 않고 용감히 부화장을 공격 중입니다! 공격력 3. 부화장 체력은 1,500. 그마저도 저절로 피가 차죠! 대체 언제 부순답니까?
-호랑이가 없는 본진에는 일꾼이 깡패죠.

김윤열은 이 상황에서도 진지했다. 땀을 뻘뻘 흘리며 부화장을 공격하는데 전력투구하고 있었다. 그러나 깨는 것은 한세월.
흘긋 김윤열을 살핀 민호는 헛웃음이 나왔다.
'나 참.'
그렇게 기를 쓰고 따라붙었는데 이런 전략에 당하다니. 만약 김윤열이 본진에서 자원을 캐고 있으면 바로 GG를 칠 상황이었다.
'어디 보자.'
갑각충으로 김윤열의 기지를 정찰하니 기계군단의 본진이 공중에 떠 있음이 확인됐다. 건물을 띄울 수 있는 기계군단의 특성을 이용한 것인데, 다른 일꾼은 보이지 않았다.

갑각충을 본진으로 돌려 김윤열의 하나 남은 일꾼을 잡으면 서로 간에 건물을 부술 수 없게 된다.

'그리되면 무승부 아니야?'

이 생각을 김윤열도 알아차렸는지 갑각충이 회군을 시작하자 바로 일꾼을 뺐다. 일꾼이 지도의 안개 속으로 사라졌기에 추격하기도 쉽지 않았다.

—눈물 없이는 볼 수 없는 마지막 경기입니다!

—저도 이런 경우는 해설 시작하고 처음 봐요. 두 선수 모두 상황이 참 난감하게 됐어요.

민호는 생각에 잠겼다. 지도 상 멀티 지역은 6곳. 기계군단 본진의 공중 이동 속도는 느리다. 갑각충으로 언제든 따라가 내리지 못하게 방해할 수 있는 상황.

도망친 김윤열의 일꾼이 설령 자원을 캐도 이 본진에 오지 못하면 아무 소용이 없다. 그렇다고 부화장을 공격한다면 갑각충이 달려가 쫓아내면 그만이다.

'자원 방해는 몇 시간이라도 이어 나갈 수 있어.'

자신은 무승부라는 결과밖에 노릴 수 없고, 그나마 일말의 희망은 있는 김윤열도 방해하는 한은 불가능했다.

서로가 승리에 연연해할수록 숨바꼭질이 이어지고 관객들은 지루한 게임을 지켜봐야 하는 구조. 심판의 자의적인 판단이 들어가면 경기는 화제가 되겠지만, 논란의 중심에 서게 된다. 뭐가 됐건 민호 자신의 이미지에는 손해다.

'그럴 바엔.'

빙긋 웃은 민호는 채팅창을 열었다.

[좋은 필살기였어.]

[ㅇ-ㅇ;;;;]

[GG.]

민호의 깔끔한 패배선언이 이어졌다.

—강민호 GG! 3시간 동안 이어진 대혈투의 승자가 결정됐습니다!

부스에서 걸어 나온 민호의 앞에 김윤열이 번개같이 달려왔다.

"민호 형."

"우승 축하해."

경기 내내 표정이 딱딱하게 굳어 있던 김윤열은 이겼음에도 얼떨떨한 표정이었다.

"양보해 주신 거죠?"

"양보는 무슨. 나는 무슨 짓을 해도 무승부였는데 뭘. 이 건 좀 전형적인 멘트긴 하지만, 다음번엔 내가 너 꼭 이긴다."

"고마워요, 형."

김윤열은 인사를 마치고 나서도 멍하니 서서 뜨겁게 환호 중인 관중석을 지켜보았다.

"뭐해? 가서 신나게 떠들고 즐겨야지."

"아직 실감이 안 나요."

오로지 우승을 위해서 달려오다 그것을 딱 이루고 나니 갑 자기 멍해지는 경험. 스무 살의 윈터시즌, 첫 우승을 하던 날 의 민호도 저랬다. 정작 고마워해야 할 사람에게 고맙다는 말조차 표현하지 못할 정도였으니까.

멘탈 관리가 덕목이자 필수인 e스포츠에서 훈련에만 몰두 하다 보면, 보편적으로 느껴야 할 감정까지도 무감각해지는 경험을 하게 된다.

민호는 지인 응원석에 앉아 있는 김윤열의 어머니에게 시 선을 돌렸다. 두 손을 꼭 붙잡은 채 울고 있는 어머니의 눈길 은 김윤열 딱 한 사람만 향해 있었다.

"윤열아."

민호는 김윤열의 어깨에 손을 올리고 관중석을 가리켰다.

"가서 좀 안아 드려. 나중에 평생 후회한다."

"아······."

김윤열이 무대 아래로 뛰어가 어머니 앞에 서자 온 카메라가 집중됐다. 어쩔 줄 몰라 하는 김윤열의 눈가에는 어머니와 마찬가지로 눈물이 글썽했다.

중계석에서 나온 한용준이 마이크를 손에 들었다.

－여러분! 멋진 경기를 보여준 두 선수에게 박수를!

결승전 이후에 내정된 BBC의 인터뷰는 광안리 인근의 노천카페에서 진행되는 것으로 연락을 받았다.

예정 시간은 오후 11시. 아직 20분이 남았다.

민호는 카페 바로 옆에 주차된 밴 안에 앉아 펜타스톰과 관련된 각종 팬 사이트를 탐방 중이었다. 결승이 끝나자마자 수많은 게시글이 올라온 상태였다.

'호인 강민호'라느니, '이것이 바로 진정한 정신승리'라느니, 그의 행동을 칭찬하는 글과 짤방이 대부분이었다. 물론 그중에는 '강민호? 더 스마트에서 잘나가니 펜타스톰은 포기한 거네!'라고 비아냥거리는 게시글도 존재했다.

오소라가 악성 글에 대처하는 자세를 본받아 민호는 별다른 신경을 쓰지 않기로 했다. 그러다 '오늘의 화제' 게시판에서 자신의 이름으로 순위권을 달리는 글 하나가 있기에 클릭해 보았다.

−강민호에게 걸려온 의문의 전화.

(띠리리링!)

강민호 : 여보세요?

??? : ㅋㅋㅋㅋㅋㅋㅋ 아놔 준우승. 까불더니 꼴좋아. ㅋㅋㅋㅋㅋ

강민호 : 진큐니?

(달칵)

더 스마트가 인기긴 인기인 모양이었다. 매회 열심히 해보려다 자신의 밥이 되고 마는 진큐를 넣어 유머로 승화시키다니.

보니까 이 비슷한 패턴으로 기존에 탈락한 차혜주, 윤수원, 이상철이 들어간 글들이 많았다.

"진큐, 이번 주는 살아남을 수 있으려나."

여러 글을 살피던 중에 띠링~ 하고 문자가 왔다. 서은하에게서 온 문자였다.

[촬영 중이라 시합을 보진 못했는데, 여기 조명 감독님이 펜타스톰 팬이라 민호 씨가 결승에서 졌다고 들어서요. 사정은 잘은 모르지만 힘내요. 아자아자!]

문자 아래에는 촬영 현장 속 아리따운 서은하의 셀카 사진이 첨부되어 있었다. 대충 찍어도 화보가 되는 그녀가 주먹을 꾹 쥐고 파이팅을 외치는 모습. 옆에서 조명감독으로 보이는 오십 대 아저씨도 함께 파이팅을 외치고 있었다.

천사 같은 서은하의 위로에 힘이 불끈 솟는 기분이었다. 이제 남은 스케줄도 하나뿐이었다.

"아자아자! 힘내자!"

민호의 외침에 뒷좌석에서 졸고 있던 김 코디가 움찔해 눈을 떴다.

"민호 형. 옷 바꿔야 해요?"

"응? 아니야, 시완아. 더 자."

드르륵.

밖에서 BBC팀을 기다리고 있던 공 매니저가 옆문을 열었다.

"민호 씨, 그분들 오셨습니다."

'드디어.'

권위 있는 다큐멘터리방송으로 유명한 영국의 방송채널

BBC. 여기서 전 세계적으로 불고 있는 e스포츠 열풍에 관련된 특별 기획 프로그램을 만든다고 한다.

민호는 살짝 심호흡한 뒤에 밖으로 나왔다.

어쩌다 보니 한국의 프로게이머를 대변하는 선수로 선정됐기에 조심스러울 수밖에 없었다. 말 한마디에 따라 한국 e스포츠의 위상이 달라질 수 있으니까.

노천카페의 테라스에서 카메라와 테이블을 세팅 중인 BBC 다큐 팀을 보게 되자 긴장이 더해졌다. 스태프는 전부 눈 색과 머리 색이 다른 외국인 사내들이었다.

"공 매니저님, 통역하는 분은요?"

영어라곤 '아임 파인 땡큐, 앤 유?' 수준인 민호였기에 통역사는 필수였다. BBC측에서 프로게이머 협회에 요청했고, 협회는 KG엔터에 일임. 통역사를 구하는 몫은 민호의 소속사가 책임져야 하는 일이 됐다.

"인파 때문에 교통체증이 심해서 좀 늦으신 답니다. 제가 도로 쪽에서 기다리고 있다가 얼른 모셔오겠습니다."

"다녀오세요."

민호는 카페 입구에 멀뚱히 서 있기는 좀 그렇고 인사는 해야겠다 싶어 BBC 다큐 팀원들 쪽으로 다가섰다.

'아 참!'

그들에게 말을 붙이기 직전 민호는 손가락에 반지를 착용

해 보았다. 혹시 여러 나라를 돌아다녔을 요원의 감이 도움
되지 않을까 싶어서였다. 그러나 착용했다고 영어가 막 떠오
른다거나 하진 않았다.

'에잇.'

기대를 버린 민호는 유창하진 않았으나 나름 정확한 발음
으로 대충의 인사말을 연습 삼아 중얼거렸다.

"Hello, Nice to meet you. I'am 민호."

ㅡ여보세요, 좋은 만남. 나는 민호.

방금 자신이 한 영어가 이상하게 귀에 쏙 들어오며 해석이
되는 느낌이었기 때문에 민호는 "응?" 하며 고개를 갸웃
했다.

'아니겠지?'

워낙에 쉬운 영어라서 곧바로 이해되는 것이리라.

그렇게 생각하며 BBC 다큐 팀 스태프에게 걸어가던 민호
는 테이블을 옮기고 있던 한 외국인의 말을 듣고 몸이 굳어
졌다.

"Sam, Help!"

ㅡ샘, 도움!

'help!'라면 일반적으로는 '도와줘!'라고 생각해야 옳다. 이
것은 영어에 약한 민호도 아는 상식이었다. 그런데 왜 말을
잘라먹는 해석이 곧장 떠오르는 걸까?

민호는 설마 해서 반지를 뺐다.

"Move the table! yeah, a little bit."

그러자 정상적으로 영어로 들릴 뿐 괴상한 해석은 덧붙여지지 않았다.

"뭐야?"

반지를 보며 어이없어하던 민호는 곰곰이 생각하다 한 가지의 결론을 도출했다.

이 백금반지의 주인이었던 요원의 국적은 한국이 아니다. 몇 개국의 언어를 완벽히 구사한다 해도, 유럽에서만 활동하던 요원이 군이 한국어를 유창하게 공부할 이유는 없었다.

이 때문에 의도치 않아도 자동으로 해석되어 떠오르나 번역의 질이 괴상하다는 것.

민호는 번역 용도로 반지를 써먹기가 쉽지 않으리란 생각이 들었다.

"좋다 말았네."

그 와중에 인터뷰를 진행하는 담당자로 보이는 여성이 민호를 발견하고 다가섰다.

"Hi~ Are you 민호?"

서른 초반 가량의 서구형 미인이 민호와 눈을 마주쳐 왔다.

'어쩌지?'

시원한 이목구비에 단아한 눈매를 가진 유럽 미녀의 눈길에 민호는 헛기침과 함께 대답부터 했다.

"Yes, I'm 민호."

열대야 때문인지 상대의 옷차림이 시원시원했는데, 굳이 드러내려 한 것은 아니겠지만 봉긋하게 솟아오른 가슴이 민호의 시선을 잡아끌었다. 같은 노출임에도 동양인은 따라올 수 없는 자연스러움이 배어 있다고나 할까? 게다가 몸매의 비율이 깡패다.

"Oh! hi~ I saw you game."

하며 상대가 가볍게 어깨를 잡고 포옹을 해왔다.

처음 본 여자에게 인사를 하며 안아 버린다는 건, 대한민국의 전형적인 남자 민호의 상식에선 금기시되는 일. 당황한 민호는 등을 토닥거리기까지 하는 친근함을 보이는 그녀의 인사법에 완벽히 뻣뻣하게 반응할 수밖에 없었다.

"Over here."

유럽 미녀가 한쪽의 탁자를 가리켰다.

'으음.'

통역사도 없는데 대화가 무슨 말. 외국인을 이렇게 가까이에서 마주한 적은 이번이 처음이었기에 긴장이 더했다.

동시통역의 질이 괴상하긴 해도 어쨌든 버텨야겠다는 생각에 민호는 다시 반지를 착용했다. 그리고 상대를 바라보았다. 절로 부드러운 미소가 지어지면서 CF 촬영 내내 지었던 요원의 표정이 되어버렸다.

'헐.'

평소는 그래도 적당한 거리감이 느껴지던 요원의 본능은 본토의 여자를 대하자마자 민감해졌다. 그 때문에 민호는 상대가 영국계지만 동유럽인의 피가 흐르는 인종임을 한눈에 깨달을 수 있었다. 이건 마치, 중국인이나 동남아인을 보면 대충 어느 나라 사람인지 감이 오는 것과 비슷했다.

민호는 반지를 톡 건드리며 속으로 자제를 부탁했다.

―나는 연출가 레이첼. 좋은 만남.

자리에 앉은 뒤부터 이어진 상대의 말이 단어의 어색한 조합으로 들려왔다. 대강 알아들으며 민호는 고개만 끄덕였다.

―촬영기사 루이. 당신의 열렬한 애호가.

레이첼의 말에 카메라를 만지작거리고 있는 적갈색 머리의 외국인이 손을 흔들어 보였다. 카메라맨 루이와 음향담당 샘, 기술담당 두 사람까지 차례로 인사를 끝마쳤다.

'좋아, 좋아. 위기는 넘겼어.'

레이첼이 영문으로만 이루어진 종이 한 장을 올렸다.

―취재 질문 참고.

"OK. OK."

질문 목록을 살피려 시선을 내렸으나 그 와중에 머릿속에

레이첼의 몸매가 강하게 아른거렸다.

'참아. 국제적으로 망신당한다고!'

민호는 속으로 '동해물과 백두산이'를 중얼거리며 억지로 문서에 집중했다. 절대 레이첼 쪽으로 고개를 돌리지 않겠다 다짐하며 반지 본연의 기능만 충실히 활용해 질문 내용을 숙지했다.

괴상한 문법으로 해석해 곱씹으며 이해해 보니, 한국에서 프로게이머의 인식이 어떤지, 연봉이나 팬클럽 규모는 어느 정도인지 같은 질문이었다. 그중에 프로게이머로서 신체 부위 가운데 손이 정말 중요한데 보험을 들었는지와 같은 이색 질문도 있었다.

5분 정도 지났을까?

"형림~"

민호는 익숙한 목소리에 고개를 돌렸다. 그러다 노천카페 앞쪽의 해변에서 올라선 한 사람을 발견했다.

"여깁니다, 여기!"

후배 가람이 손을 흔들었다.

며칠 전부터 광안리에 오면 화끈한 밤을 지새우겠다고 노래를 부르더니 감독님 따라 서울에 가지 않고 남은 모양이었다.

길을 건너온 가람은 외국인 스태프들을, 그중에 확 눈에 띄는 레이첼을 보며 입을 벌렸다.

"우와, 대박 미인. 형, 저 사진 한 방 어뜨케 안 될까요?"

"네버. 이거 예능이 아니라 다큐 촬영이야."

가람이 민호의 맞은편에 앉은 레이첼을 향해 활짝 웃으며 손을 흔들었다.

"아이 러브 BBC! 예에! 두유 노우 김치?"

"얌마!"

민호는 후배의 대화 수준에 당황해 얼른 레이첼 쪽으로 고개를 돌리고 말했다.

"He is my team mate. so young. sorry."

레이첼은 "Hi~" 하고 인사를 해주었다. 그것만으로도 가람은 눈에 하트가 샘솟았다.

"형, 설마 영어로 인터뷰하는 거예요?"

민호는 고개를 흔들었다.

"통역사 오는 중이야. 넌 언제 서울 가려고? 나 인터뷰 끝나면 바로 출발할 건데 같이 올라갈래?"

"아뇨, 철순이가 저쪽에서 열심히 헌팅 중입니다. 근처에 클럽도 있던데 잘되면 밤새 부비부비~ 으흐흐."

가람은 뱃살보정 속옷으로 꽉꽉 눌러 담은 배를 퉁 쳤다. 최근 열흘 동안 오늘을 위해 땀 흘리며 운동했던 탓에 아주 쬐꼼 살이 빠져 보이긴 했다.

"뉴스 보니까 이런 데 멋모르고 돌아다니다 바가지 팍팍 쓰는 애들 많다던데, 잘 보고 놀아."

"에이, 형. 저를 뭐로 보고."

"그러니까 하는 말이야."

가람이 진지한 표정으로 물었다.

"오늘 저와 철순이가 미래의 여친을 만들 확률을 얼마로 보십니까?"

민호가 손가락 하나를 들어 올려 보였다.

"십 프로? 너무했다."

"아니아니."

"이, 일 프로?"

민호는 고개를 저으며 일 옆에 공 두 개를 딱딱 붙였다.

"백 퍼센트 실패."

"훗, 그건 절대 아님돠. 오늘을 위해 엄청난 준비를 했거 든요."

민호는 가람이 무렵의 자신도 저와 비슷하게 촐랑거리며 살았다는 사실을 떠올리자 절로 신음이 나왔다. 가장 흑역사 가 많이 벌어졌을 법한 시기에 군대를 다녀온 건 어쩌면 탁 월한 선택이었을지도 모른다.

못 미더운 후배를 훑어보던 민호는 지갑에서 돈을 꺼냈다.

"자."

"웬 머니임까?"

"살 뺐잖아. 내기는 내기. 한 2키로 뺐지? 찌면 도로 뺐을 테니까 계속 유지해."

"민호 선배님! 사랑함돠!"

뽀뽀라도 할 기세인 가람의 얼굴을 뒤로 밀었다.

"애정은 사양이다."

정말 뽀뽀를 했다면 자칫 요원의 본능이 발동해 목을 꺾어 버릴지도 모를 일이었다. 민호는 마냥 좋아하는 가람에게 '너 목숨 건진 줄 알아' 하는 측은한 눈빛을 보내며 말했다.

"잘 들어. 여자랑 만나고 싶으면 네 스타일을 좋아해 주는 여자를 찾지 말고, 그 여자가 좋아하는 스타일대로 행동해. 연락처 같은 걸 물어볼 때는 순간적으로 진지해 보여야 이 여자 저 여자 찝쩍거리는 사람이라고 생각 안 해."

"우오, 뭔가 심오한 팁!"

"빨리 가기나 해."

"넵!"

인파 사이로 사라지는 가람을 보며 민호는 방금 조언이 반지 때문이었음을 깨달았다. 문득, 이것의 주인은 살아생전 얼마나 많은 여자를 만나고 다녔을지 궁금해지는 민호였다.

시선을 돌리다 레이첼과 눈이 마주쳤다. 뭔가 할 말 있느냐는 그녀의 눈길에 민호는 얼른 "낫띵, 낫띵"을 외치며 고개를 흔들었다.

"민호 씨! 아이고, 늦었습니다."

시기적절하게 공 매니저가 노천카페로 들어섰다. 함께 온 서른 중반의 사내는 부산 영화제의 통역 담당자 중 한 명으로 이쪽에서는 상당히 유명한 사람이라고 들었다.

공 매니저가 곧바로 통역사 윤재환을 소개했다.

"정말 애타게 기다렸어요."

민호는 윤재환을 반갑게 맞이했다. 윤재환은 인사를 끝내자마자 쉴 틈 없이 일에 착수했다.

『통역을 담당한 윤재환입니다.』

『레이첼이에요.』

『인터뷰 진행에 관해 궁금한 게 있는데, 민호 씨의 음성이 나가고 자막이 깔리는 방식입니까? 아니면 실시간 통역을 녹음하는 방식입니까?』

윤재환은 레이첼과 능숙한 대화를 이어나갔다. 민호는 이제야 숨통이 좀 트이는 기분이었다. 레이첼과 대화를 끝낸 윤재환이 민호에게 말했다.

"저쪽에서도 나중에 편집할 때 자막을 넣는다니까 민호 씨는 한국어로 편하게 대답하시면 될 것 같아요."

하고 카메라 옆에 자리한 윤재환.

"저는 이쪽에서 레이첼 말을 통역해 드릴게요."

"잘 부탁해요, 통역사님."

촬영 준비가 본격적으로 시작되어 민호도 자리에 앉았다.

이제 반지가 필요 없어져 주머니에 넣으려던 민호는 고개를 숙였다가 눈이 커졌다.

'왜 빛이 나지?'

이미 길들여진 유품이 또다시 빛을 내는 건 다른 애장품과의 상호작용이 있을 때뿐이다. 민호는 놀라서 주위를 두리번거렸다.

이 주위에 애장품이 있다.

광안대교의 눈부신 야경을 배경으로 진행된 인터뷰는 생각보다 더욱 매끄럽게 이어졌다. 민호는 질문을 통째로 머릿속에 담아두고 대답을 생각해 놓은 탓에 막힘없이 이야기할 수 있었다.

"……한국의 대표로 선정되어 기뻤습니다. 손 보험에 관한 문제는 한번 생각해 볼게요."

대답이 끝나자 윤재환이 실시간으로 통역해 레이첼에게 전해 주었다. 윤재환이 다시 민호에게 고개를 돌리며 말했다.

"민호 씨, 카메라맨 루이 씨가 올해 파리에서 열릴 WCG에서 어떤 성적을 낼지 각오 한마디 부탁하시는데요?"

질문지에는 없던 물음이었다. 민호는 루이가 팬이라더니 '월드 사이버 게임'이라는 e스포츠 축제를 언급하는 것에 놀랐다.

"가게 되면 물론 우승을 노릴 겁니다."

"루이 씨가 열렬히 응원하겠대요."

다음 질문으로 넘어가던 중에, 루이가 "désolé"라고 말하며 화장실을 가리켜 보였다. 레이첼과 샘이 어이없다는 표정을 지었다.

반지를 착용 중인 민호는 프랑스계인 루이가 급한 김에 모국어로 '미안해'를 내뱉었음을 이해했다. 영어와 마찬가지로 다른 나라의 언어 역시도 괴상한 해석이 덧붙여졌다.

'그나저나 어디 있는 거야?'

루이 덕분에 잠시 촬영이 멈춘 사이, 인터뷰 시작과 동시에 멈춘 민호의 애장품 탐색이 이어졌다.

주머니가 전혀 없는 옷을 입은 레이첼이나 다른 촬영 스태프는 아니었다. 그랬다면 그전에 반지에서 빛이 났을 테니까. 거리를 지나가는 수많은 사람 중 누군가가 들고 있는 애장품 때문이라면 만져보지도 못할 물건이었다.

'이 애장품은 간도 못 보고 끝나겠어.'

고민하던 민호의 시선이 크로스백을 어깨에 걸고 있는 윤재환에게 머물렀다. 그러고 보니 시간대가 딱 윤재환이 나타나고 나서였다.

"저, 통역사님. 혹시……."

민호의 질문이 채 시작되기도 전에 윤재환이 손가락을 튕겼다.

"맞다."

윤재환이 이제 생각났다는 듯 가방에서 무언가를 꺼냈다.

"부산 영화제 팸플릿인데, 다음 달에 시작되니 한번 오세요. 올해도 재밌는 영화 많이 유치했거든요."

이때 민호의 시선은 팸플릿이 아닌 가방 한구석을 향했다. 틈으로 빛이 살짝 어렸다가 사라졌기에 확신할 수 있었다.

"저건 뭐죠?"

"예? 뭐가…… 아, 이거요?"

윤재환이 가방 속에서 꺼내 든 것은 '마이마이'라는 상표를 가진 소형 카세트테이프 녹음기였다. 윤재환은 멋쩍은 웃음을 지었다.

"전에 영어 공부할 때 이걸로 했거든요. 외국사람 따라가서 대화 녹음하고 그걸 밤새도록 외우고."

"대박이네요."

"뭘, 대박까지. 하하. 되게 올드하죠?"

스마트폰 버튼만 누르면 수백 분의 녹음을 손쉽게 할 수 있는 시대. 이제는 거의 사용하지 않는 아날로그 녹음기를 들고 다니던 윤재환은 부끄럽다는 표정이었으나 민호의 눈빛은 위대한 무언가를 발견한 것마냥 감탄에 젖어들었다.

"저, 잠깐만 만져봐도 될까요?"

옛날 물건이 신기해 보여 호기심을 보인다 생각한 윤재환은 별생각 없이 민호에게 건네주었다.

민호는 녹음기를 손에 쥐자마자 반지에 어려 있던 빛도 사라진 것을 확인했다. 그리고 동료 샘과 대화 중인 레이첼에게 시선이 머물렀다.

『레이첼, 부산 명물이 뭐가 있는지 알아?』

『글쎄. 나는 음식이 잘 안 맞는 거 같아.』

『한국 맥주는 영 아니더라.』

둘의 영어 대화가 괴상한 번역이 아니라 한국어처럼 들려왔다. 민호는 그도 모르게 "elképesztő!"라는 감탄사가 튀어나왔다. '놀라워'라는 헝가리어였으나 그것을 의식하지도 못했다.

'말이 쏙쏙 들어와.'

민호의 말이 생소한 발음이었기에 윤재환은 귀를 갸웃했다. 갑작스러운 민호의 감탄에 영국계 어머니에 헝가리계 아버지를 두고 있는 레이첼이 놀라서 고개를 돌렸다.

『민호 씨. 방금 헝가리어 했죠?』

『네? 제가요?』

『지금도요.』

아무래도 반지의 본능이 계속 레이첼에게 관심을 표한 덕분에 그 나라 언어가 툭 튀어나와 버린 것 같았다.

『어쩌다 보니 좀 배웠어요.』

매일 하던 변명을 헝가리어로 하다 보니 뭔가 글로벌해진 느낌이었다.

민호는 헝가리어를 모국어인 것처럼 이해하고 말한다는 것 자체가 신기해 계속 발음해 보았다.

혀가 꼬이는 것도 없이 부드럽게 이어지는 문장들.

원어민 수준의 영어를 구사할 수 있게 해주는 윤재환의 녹음기에 반지의 힘이 더해지자 유럽 각지의 언어까지 사용할 수 있게 됐다.

"민호 씨, 헝가리어 할 줄 아세요?"

이번에는 윤재환이 놀라서 민호에게 물었다. 민호는 빠르게 머리를 굴렸다. 그리고 대답했다.

"영화 '글루미 선데이'를 무척 재밌게 봐서. 그때 부다페스트에 꼭 가보겠다고 좀 배웠어요."

"어쩜, 저랑 똑같네요. 저는 '시애틀의 잠 못 이루는 밤'을 보고 영어 공부를 시작했죠."

민호를 다시 봤다는 듯한 윤재환의 시선.

그사이 화장실에 다녀온 루이가 카메라에 다가왔다.

『미안. '쉬케'가 맛있어서 계속 먹었더니.』

『그게 뭔데? 혼자만 부산 명물 먹은 거야?』

샘이 의문을 표하자 루이는 천천히 『쉬이케』라고 발음해 주었다. 민호는 그 얘기에 샘에게 말했다.

『식혜라고, 부산 명물이 아니라 한국 전통 음료예요.』

이 말을 헝가리어로 했기에 샘이 의문을 표했다. 레이첼이 웃으며 영어로 설명해 주었다.

서로 간에 언어가 뒤죽박죽인 상황 속에 남은 인터뷰가 시작됐다.

『오늘 정말 놀랐네요. 고향 사람 만난 기분이었어요.』

인터뷰를 끝마치고 다가온 레이첼이 인사해 왔다.

『파리에 오면 연락 줘요. WCG도 취재할 생각이니까.』

포옹하며 레이첼이 낮게 속삭였다. 녹음기는 윤재환에게 돌려줬으나 아직 그 능력을 활용할 수 있기에 민호는 알아듣고 대답했다.

『그러죠. 레이첼.』

이번에는 처음과는 달리 익숙하게 포옹하며 인사를 끝마쳤다.

머릿속에 빠릿빠릿 떠오르던 다른 나라의 언어들이 점점 사라져 갔다.

애장품에서 손을 떼고도 능력이 유지되는 시간은 고작 1분여. 영어만 마스터하면 유럽의 언어가 공짜라는 새로운 길을 찾았기에 그렇게 아쉽다는 생각은 들지 않았다.

레이첼이 민호에게 말했다.

—연락처. 교환.

민호는 괴상한 번역으로 돌아갔음을 깨닫고 눈치껏 대답했다.

"E-Mali, OK?"

10월에 열릴 WCG. 해외 구경은커녕 비행기 한번 타보지 못한 민호였기에 스케줄 조정을 해서라도 꼭 가볼 생각이었다.

물론, 그 전에 영어 공부는 필수일 것이다.

밤 12시가 넘어 서울로 향하는 길.

운전 중인 공 매니저는 백미러를 살펴보다 눈을 말똥말똥 뜨고 있는 민호를 보고 물었다.

"안 피곤하십니까?"

"온종일 잤더니 괜찮아요."

"오늘 경기 무척 아쉽겠습니다."

"이길 때도 있고 질 때도 있는 거죠, 뭐."

훌륭한 멘탈이라 고개를 끄덕이던 공 매니저가 갑자기 생각났다는 듯 말했다.

"민호 씨 고정 프로 말입니다."

"뭐 정해진 것 있어요?"

"임 사장님은 가능하시다고 생각하시던데, 저는 걱정이 좀 드는 프로 하나가 들어와 있습니다."

"뭔데요?"

"'메디컬 24시'라고. SBC 교양국 PD님들이 만드는 예능다큐멘터리입니다. 일단 파일럿 촬영을 해보자는데 본격적으로 시작하게 되면 민호 씨가 투자해야 할 시간이 어마어마할 거예요."

"공중파 방송이니 유명한 의사들 많이 참여하겠죠?"

"그야 그럴 겁니다. 국내 최고의 병원에서 촬영한다니까요."

민호의 눈이 반짝였다.

Object : 통역사의 아날로그 녹음기.

Effect : 원어민 수준의 영어를 구사할 수 있다.

Cross Object : 반지와 녹음기, 전문 통역사로 위장한 비밀요원의 2종 세트.

Effect : 유럽 주요국의 감미로운 톤을 가진 언어에 능숙해진다.

to be continued

KILL THE DRAGON

킬 더 드래곤

백수귀족 현대 판타지 장편 소설

인간 VS 드래곤

지구를 침략한 드래곤!
3년에 걸친 싸움은 인간의 승리로 돌아갔지만
15년 후,
드래곤의 재침공이 시작되었다!

드래곤을 죽일 수 있는 건 오직 사이커뿐!

인류의 존망을 건 최후의 전쟁.
그 서막이 오른다!

Wish
Books

우지호 장편소설

빅 라이프

돈도 없고 인기도 없는 무명작가 하재건,
필사적으로 글을 써도
절망뿐인 인생에 빛은 보이지 않는데……

어느 날,
그가 베푼 작은 선의가
누구도 믿지 못할 기적이 되어 찾아왔다!

'글을 쓰겠다고 처음 결심했던 때를
잊지 말게.'

무명작가의 인생 대반전!
지금 시작됩니다.

온후 현대 판타지 장편 소설

던전사냥꾼

Dungeon Hunter

나는 실패했고, 다시 도전한다.
더 이상 실패란 없다!

마왕이 되고자 했으나 실패한 랜달프
생의 마지막 순간
과거로 돌아오다!

다시 한 번 주어진 기회
이제 다시는 잃지 않겠다!

지구에 나타난 72개의 던전과 그곳의 주인들.
그리고 각성자들.
나는 그들 모두를 잡아먹는 사냥꾼이다.

반자개 장편 소설

WISHBOOKS MODERN FANTASY STORY

Wish Books

건축의 신

누구도 내딛어 보지 못한
그 한 걸음을 내딛는 자!

평범한 가구 회사에 다니던 성훈
그러던 어느 날,
사고로 인해 20년 전으로 돌아왔다!

다시 시작하는 삶.
절대로 헛되이 보내지 않겠다!

세계 최고의 건축가가 되기 위한
성훈의 활약이 펼쳐진다!

내 안에 몬스터 있다

형상준 현대 판타지 장편소설

태양의 흑점 폭발과 함께 새로운 시대가 찾아왔다!

마나와 능력자, 그리고 몬스터가 존재하는 현대.
그리고 그곳을 살아가는 마나석 가공 판매업자 김호철.
평소처럼 마나석을 탄 꿀물을 마시던 그는
번개에 맞고 신비로운 힘을 각성하게 되는데…….

'내 안에서 몬스터가…… 나왔다?'

그것도 김호철이 먹은 마나석의 개수만큼 많이.